極權抬轎的奴隸

倪匡 著

配額用精光，租界期自滿

一直相信人一生行為，皆有配額，一件事的配額用完，就不能再做這件事了。配額何時用完，有時可怕得毫無預警，突然發生。前不久，蔡様贈予幾大包台灣黑皮花生，甘香鬆脆，吃完之後，很是懷念，日前見有售，購一包歸，放進口中，牙已無力碎之，總不成囫圇吞下，這就知道，吃花生的配額用完了。

本文見報之日，接近生日。七十五年足，早已過了古稀，進入耄耋，各種配額漸次用完，原屬意料中事。很意外的是，對事物的興致，居然也會消失。不久前，有「小壹圓」（一種珍貴的中國早期郵票）拍賣，還曾興致勃勃，花了不少時間去查這枚郵票的來歷，想弄清楚它是已有記錄的三十四枚中的哪一枚。當然絕無購買的打算，只是有興趣而已。雖然終因資料不足而沒有結果，雖有所設想，也只是想想，其過程也趣味盎然。到了近日，有「貳圓宮門倒」（一種錯體

珍郵）拍賣，早年小說中，曾有為了看這種郵票，驅車數小時以赴的情節，可知對這枚郵票的嚮往程度。可是如今，只數分鐘車程而已，卻一再想去看預展而終因提不起興趣，結果竟沒有成行。噫嘻乎，頓悟對事物感興趣的配額也用完了。

這類配額用完，可說非同尋常，因為不是具體的一兩件事，而是對很多事，甚至所有事，一概都提不起勁來。這說明了什麼，代表了什麼，相信不必「畫公仔畫出腸」了。

任何事，若沒有了興致，勉強為之，必然吃力不討好，配額既然用精光，這「租界」，自然租借期滿了。

要感謝蔡樣，感謝應該感謝的所有人。這次，不是倒轉空酒瓶，一滴也滴不出的事，而是連倒轉瓶子的興趣都沒有了！

倪匡

香港

二〇一〇年五月十八日

目錄

北思國情

2 為極權抬轎的奴隸
4 中國國情
6 民變起因和結果
8 法治的根本條件
10 爭取民主和新聞自由
12 群眾為何「不明真相」
14 污染
16 中華蘇維埃共和國
18 且看偉大的毛主席……
20 權力上繳
22 波巴人民共和國
24 上樑正、下樑歪
26 偉大的毛主席如何看群眾示威
28 人命有價
30 杜絕「尋釁滋事」之妙策
32 閒話魯迅
34 消息封鎖可以到達什麼程度
36 偽共產黨

38 敏感
40 殺人英雄
42 釜底抽薪
44 馴服工具
46 新階級

神州大地

50 自動下跪的示範
52 無產階級聖女
54 會爆發的
56 都是色情網惹的禍
58 爆發中
60 湖北石首、山東東明、江蘇江陰……
62 抗議不如起義
64 咱們工人有力量
66 黨中央的話
68 「任何人都改變不了這一事實」
70 阿婆當面罵總統
72 不明真相的臆測
74 不得妄言追查
76 太可憐了
78 萬人空巷看奇景
80 「釣魚執法」下流之極
82 借用別人的話
84 死都不說
86 怎麼獲救的？
88 頭等和尾等
90 怎可用「油畫標準」？

92 共產黨心中的法
94 人命大升值
96 想了解，就犯罪
98 下跪、自焚和拚命

「父母」官

102 宣傳部長自殺的推理
104 陞官圖
106 幾個非正常死亡的官員
108 身手好品格差
110 副局長言
112 三煞位
114 指導意見天下奇聞
116 文明辦的示範
118 巨型經濟問題犯者
120 情婦反腐軍
122 誰是最高保護傘
124 中級黨官頻頻意外死亡
126 當官員貪污變成光榮
128 蠢貪官自嘆
130 陳年舊事

香江奇情

134 貪何要玩炸藥
136 不會有第二權力中心
138 這就叫作口是心非
140 怕什麼呢？
142 過時說靚模

144 點解認為是抹黑？
146 可能會有什麼後果？
148 正確態度應該這樣
150 壯大愛國力量之方法
152 再論如何壯大愛國力量
154 愛國必須用行動表達
156 生果金
158 好樣的共產黨員
160 二十多歲可以做什麼
162 煽動
164 文抄兩段
166 公投
168 憲法地位如阿斗
170 解放
172 有冇信心？

北思國情

為極權抬轎的奴隸

作家沙葉新有一段話，極發人深省，恭錄如下：

「如果你是一個作家，你為權力寫作，你就是為腐敗服務，為愚蠢服務，為折騰服務，為殘忍服務。如果你是被迫的，還情有可原；如果你是自覺的，那你怎能逃脫幫兇之責、販毒之嫌？我再說一遍，我說的權力是極權，是不受監督，不受制約的，是不由民主選舉所賦予的極權。」

沙葉新大聲疾呼：

「不為權力意志寫作，不為權力的意識形態寫作！」

沙葉新的話，其實並不是他首次提出，這類和作家良心有關的討論，行之已久，可是爲權力意志而寫作的媚權作家，還是後浪推前浪，浪花四濺，遺臭遺

毒，很是熱鬧。且大多數，都不是被迫，而是十分自覺，很具中國特色，其他民族罕見，近年來更是突飛猛進，那是由於人的道德底線已經被摧毀的緣故。

人再怎麼不堪，以前，總算還有一條道德底線在，這條底線，使人的行爲有一定程度的限制或自我限制，使有些行爲屬於「有所不爲」的範疇，是不會做的、也是不能做的。

然而，自從女學生的銅頭皮帶、釘子木棒將校長活活打死之後，人類行爲的道德底線就被摧毀了，摧毀得如此徹底，以致許多想都想不到的事，也進入了人類行爲之中，變成什麼事情都可以發生了。已有大量事實證明了這一點。

沙葉新的那段話，是針對作家而說的，可以想深一層：其他行業呢？例如翻筋斗的，自覺爲極權而翻，難道就可以逃脫幫兇之責、販毒之嫌了嗎？

所以，沙葉新的呼籲，其中「寫作」一詞，可用任何動詞代入：要是人人都「不爲權力意志××，不爲權力的意識形態××！」

權力沒有了爲它抬轎的人，唯一的結果就是不復存在。

那時，權力自然就消亡：沒有了奴隸，何來奴隸主？

中國國情

有一種理論，對中國的民主、人權前景表示樂觀。理論的根據是，歷史上，歐洲在資本主義興起之後，產生了中產階級，中產階級力量逐漸增大，導致了民主、政治革命。理論說，中國經濟發展，也湧現中產階級，所以歷史會循迹前進，中國的民主政治改革，也就有厚望焉。

這種理論十分「想當然」，以為歷史上在歐洲發生過的事，在中國也會發生。卻不理會歐洲是歐洲，中國是中國。「什麼事情中國鬼一上身，就不一樣了。」（林語堂語，大意），最常聽到的「中國國情不同」，確然顛撲不破。

讀侯文詠評《金瓶梅》鴻文，其中一節，極明白地說明了這個問題：

「……商人一旦開始發財，他們想到的，不是如何向統治者爭取『人權』、

『財產權』，反過來，只是被動地附庸在封建制度的權力結構底，試圖得到庇護並且分享權力的一杯羹。在這樣的情況下，商業動力不但沒有促進社會制度，反而只是更加鞏固了原先那個封建社會裏不公平的一切……」

文章評的是西門慶，因爲精彩，所以放在當今來看，正是如今的現實寫照。如今在「經濟起飛」中「先富起來」的那一群新階級，不是本來就是封建權力上層的關係群，就是依附權力才取得利益的奴群，最好的情形，不屬於以上兩種，也在取得利益之後，忙不迭依附權勢。形態雖然不同，而「西門慶」則一，那是典型的中國國情，中國特色的表現。

所以，歐洲歷史上發生過的中產階級壯大，導致民主自由人權的大發展，不會在中國出現。這一點，其實只消看看香港那些厚顏無恥依附權勢者的嘴臉，就能明白了。那些，大多數還是根本不必向權勢屈膝的，可是，奴性，正也是國情啊！

民變起因和結果

很出乎意料之外，中國，民變起因，佔相當比例，是由於抗議環境污染。民變，或稱群體事件，或稱不明眞相的人聚衆鬧事，或稱受少數不法分子煽動生事，等等，但實際上就是同一回事：老百姓造反。行動雖發生在全國各地，但形式相當劃一，都是老百姓聚集、抗議、攻擊政府建築，還有必不可少的環節：燒砸警車。然後就是大批武警趕到，驅散「不明眞相」的群衆。這裏撲滅一起，那裏又發生一起，規模大的，上萬國家鋼鐵工人打死私營機構的總經理，民衆的同情完全傾向工人，有稱「打死資本家是合法的，否則當年毛澤東不成了罪犯？」一定性爲「無產階級的革命手段」。共產黨本來是無產階級革命的先鋒隊，現今竟轉變成了無產階級革命的對象，眞不知人間何世。

民變，說到底，就是老百姓活不下去，只好拚命，照說，和環境污染好像掛不上鉤，但偏偏在中國成了民變原因，甚至有將地方官員打得落荒而逃者。究其原因，也很具中國特色，是由於污染到老百姓活不下去的污染源，全來自爲了暴利而完全不顧環保的各項企業，而這些企業之所以將老百姓的生命當個屁，是因爲它們都有各級地方官員的庇護或直接參與經營，於是，形成民變的條件便充分了。先是上訪、求告、請願、下跪，用盡了和平方法而無效，除了靠自己的力量來反抗之外，沒有別的路可走，終於，完成事件鏈的最後一環，大批百姓「不明眞相」，若干警車被毀，大批武警出動，事件暫時平息。

這種民變事件頻繁發生，當然不好。不好到什麼程度?請稍爲讀一下歷史。歷史上，沒十次，也有八次，確實記載着發展下去的結果是怎樣的。

法治的根本條件

法治，一定要具備兩個條件。一，有法律；二，有堅決執行法律的力量。有法而沒有執法者，等於沒有法。再以金太宗被群臣杖責的歷史故事來看，當時，若不是所有大臣都有「皇帝犯法一樣要懲處」的法治觀念，而是只有一部分大臣認識到法治的重要，另有一些跳出來爲皇權說話，情形就完全不一樣了。

爲皇權說話，說皇帝動用國庫錢財天經地義，皇權大於法規，法規必須爲皇權服務，責問要法辦皇帝的人：你是爲誰服務！

這種情形一出現，皇帝必然龍顏大悅，立刻將法規拋在一邊，非但不必捱打，而且誰主張打皇帝的，不殺頭也該充軍。論功行賞，爲皇帝開脫的自然升官發財。

但當所有大臣都認爲皇帝該罰時，皇帝先生也就只好受杖了。這是有法規、必須有堅決守法、極具勇氣的執法者，才能有法治的最佳例子。

這樣的例子，見於女眞胡人的身上。號稱數千年文明的漢人歷史中，未見有同等性質者。直到如今，二十一世紀了，可望有這樣的事發生？上海人說話：「談也勿要談」，期望法治社會出現，到夢中去追尋還實際得多，就是因爲在現實中，沒有堅決的執法者。權貴犯法，縱使世人皆見，在強權說了算，強權掌握了全民生死榮辱的情況下，就算有人敢於執法，也根本不必掌權者出聲，一干諂媚討好強權的大小走卒奴才，早就撲出來將勇於執法者撕成粉碎了。

不信？試試保障一下憲法給予公民的那些權利，看看會有什麼結果？

千年之前的女眞人都知道有法必須遵守，而如今替老百姓尋求法律公正待遇的律師機構都要被淸剿，什麼世道啊！

爭取民主和新聞自由

爭取民主和新聞自由，是兩個老掉牙的老題目，到今天，還要談這樣的題目，眞是悲哀。然而有什麼辦法呢？在香港，還沒有民主普選，在中國，還沒有新聞自由，就只好談下去。

且先看看當年中國共產黨是怎麼說應該如何爭取民主：

「曾經有一種看法，以為民主可以等人家給予。以為天下有好心人把民主給人民，於是就有了等待這種『民主』，正如等待二百萬元的頭獎一樣。但是中外古今的歷史都證明了，民主是從人民的爭取和鬥爭中得到的成果，決不是一種可以幸得的禮物。」

——《新華日報》一九四五年七月三日

對比一下，和特首說爭取早日有普選不切實際，好像有出入。

有關新聞自由，共產黨曾這樣說：

「統制思想，以求安於一尊；箝制言論，以使莫敢予毒，這是中國過去專制時代的愚民政策，這是歐洲中古黑暗時代的現象，這是法西斯主義的辦法，這是促使文化的倒退，決不適於今日民主的世界，尤不適於必須力求進步的中國……言論出版的自由，是民主政治的基本要件，沒有言論出版的自由便不可能有真正的民主，不民主便不能團結統一，不能爭取勝利，不能建國，也不能在戰後的世界中享受永久和平的幸福……新聞自由，是民主的標幟；沒有新聞自由，便沒有真正的民主。反之，民主自由是新聞自由的基礎，沒有政治的民主而要得到真正的新聞自由，決不可能。」

——《新華日報》一九四五年三月三十一日

話說得再明白不過，不必再加任何說明了。悲的是：今日中國，還能這樣說嗎？

群眾為何「不明真相」

凡有百姓嘩變，黨政軍警當局，例牌定性爲「少數群衆不明眞相」，就算萬人以上的大暴亂，也一樣是這個調。「少數」，無可異議，因爲當權者有另類計算方法，幾萬人，比起全國十三億人來，當然是少數。這種方法，香港當權者心領神會，五十萬人遊行，他們說：沒參加的有六百萬人。

值得研究的是「不明眞相」。群衆爲什麼老是不明眞相呢？原因之一，是由於眞相被重重封鎖，根本傳不出來，民衆完全無由得知。只要看一有事件發生，第一就是封鎖消息，拒絕採訪，民衆無法從正道得知事情眞相，只好通過小道傳遞。這情況是民衆無由得知眞相，並非民衆不想知道眞相。

原因之二，等到官方公布了「眞相」，卻比小說更離奇，完全不被群衆接

受。例如說人死在派出所，是在玩「躲貓貓」時意外死亡之類。這樣的將群衆當白癡的「眞相」，群衆自然不明，這也不能怪群衆，只是想欺騙群衆，群衆眼睛雪亮，不肯上當而已。群衆爲了想知道眞正的眞相，就群起行動，老百姓有知的權利，爲何求知就是犯罪？

原因之三，最主要，是有關方面根本不想群衆明白眞相，因爲事件的眞相是見不得光的，是黑箱中的罪行，嚴重地侵蝕國家民族的利益，一旦被群衆知道了眞相，知道眞相的群衆，會有更激烈、更大規模的造反行動，在那種情形下，不明眞相的老百姓，其實是不明得好，不明得妙。不明，小鬧鬧，明了眞相，原來是這樣，事情就不那麼簡單了。

所以，老百姓還是不明眞相的好，只讓老百姓看到冰山浮在水上的那部分，不是比讓老百姓看到整體冰山好嗎？別再責備老百姓不明眞相了！

污染

陝西、湖南、雲南，都發現大量兒童血液中含鉛量高，高到了可以致命的程度，原因是由於當地的環境被污染。這種由環境被污染而產生的嚴重影響健康現象，全國皆見。也知道連成年人都深受其害，山東東明已有人叫出「污染死不如拚命死」的口號，所以眞正是「地無分南北、人無分長幼」，全民皆受害，成爲各地民變、政府統治危機的主要原因之一。

如此普遍的、危害性極大的污染，污源幾乎都來自近年來大量興建的各類工廠。建工廠，是好事。但如果建工廠而全然不顧及這工廠對環境的污染，那就是禍國殃民的犯罪，甚至可以進一步說，是禍害地球的反人類罪。

那些工廠的經營者，未必有犯罪的意識，他們只是絲毫沒有環境保護的意

識。他們只知道建工廠，出產品，爭利潤，發大財。他們的意識之中，絕沒有環境保護這回事。在他們意識中，把工廠的污染物排入江河、傾進田野，是自然不過的事情，就像他們若是喉嚨癢了，要吐痰，就不管在什麼地方，就可以隨口吐出一樣，他們的文明意識程度，就是如此低下。根本及不上建工廠這一級，而又偏偏有和他們同一文明程度的貪利官員大力支持，兩者的利益結合，只知工業可以興利，不知其他，於是就出現了匪夷所思、胡作妄爲、肆無忌憚地對環境的污染。

聽說如今國家的高層領導，「博士」之多，世界第一，難道也不知道污染環境的危害嗎？當然是知道的，也有專門的環保部門，更曾不斷三令五申，奈何令出宮門之後就不知所終，無人執行。以金沙江爲例，江上十餘水電站，全沒有中央批准，也全已將建成。能相信都經過環境評估嗎？六十建國塵與土，八千里路污染帶，偉大啊！

中華蘇維埃共和國

子曰：必也正名乎。所以，「建國六十周年」這個說法，眞值得商榷。國，早已在，不是共產黨建出來的。有人稱之謂「建政六十周年」，庶幾近焉。或說，建立新中國六十周年，也差不多。差不多，是因爲並非完全對，因爲中國共產黨早已建立過一個不同於當時中華民國的新中國。不錯，是兩個中國，國中有國。

那個中國，國號「中華蘇維埃共和國」，正式成立於一九三一年十一月七日。此國成立之日，也有盛大的閱兵儀式，由中國共產黨主持的「中華蘇維埃第一次全國代表大會」，選出六十三人組成的中央執行委員會，宣告中華蘇維埃共和國成立。

這個國家成立儀式，絕非兒戲，十分正式，成立了中央政府，公布了憲法，完成了建國應有的步驟。當時的中國共產黨總書記王明對國家的評價是：「中華蘇維埃共和國已經完全具備有現代國家的一切條件和成分，它完全有資格稱作文明的人民共和國。」

最值得注意的是，這個中國的憲法大綱一共十七條，其中有關中國少數民族的部分，有這樣的主張：「中華蘇維埃政權承認境內少數民族的民族自決權，一直承認到各弱小民族有同中國脫離，自己成立獨立的國家的權利。蒙古、回、藏、苗、黎、高麗人等，凡是居住在中國的地域的，他們有完全自決權，加入或脫離中國蘇維埃聯邦，或建立自己的自治區域。」

眞不得了，比達賴更達賴，也比熱比婭更熱比婭，這或許就是這個中國後來無聲無氣消失了的原因?不然，大可慶祝「建國七十八周年」了，多過癮!

哦，對了，那個中國主要領導人有毛澤東、朱德等等，就是後來又建一次國的那批人，黨也一樣，藥沒換過，湯也沒有換過。

且看偉大的毛主席……

本文的標題本來十分長，是：「且看偉大的毛主席說了這些話之後做了些什麼和做了這些事之後說了什麼」，太長了，不像文題，所以簡化，當然，「偉大的」三字，必須緊跟毛主席，是萬萬不能縮簡的，雖然比起在文革時的長銜頭來，已經刪了九成。就像慈禧太后，原銜二三十字，也就是剩下兩個字，並非不恭敬也。

先說偉大的毛主席說了什麼之後做了什麼。一九五六年十一月十五日，在中國共產黨第八屆中央委員會全體會議上的講話中，偉大的他說：

「……如果脫離群眾，不去解決群眾的問題，農民就要打扁擔，工人就要上街示威，學生就要鬧事。凡是出了這類事，第一要說是好事……」

原文很長，有興趣可去查閱，講話強調的是群衆有反對官員的權利。話說得動聽，但，不多久，群衆根本沒行動，就講了些話，提些意見，浩浩蕩蕩的「反右」就開始了，數以百萬計的群衆，絕大多數是知識分子，從此墮入人間地獄。

在「反右」取得了偉大的勝利之後，偉大的毛主席又這樣說：

「哪有馬克思列寧主義者怕群衆的道理呢？有了錯誤，自己不講，又怕群衆講。愈怕，就愈有鬼。我看不應當怕。」（一九六二年一月三十日，在擴大的中央工作會議上的講話）。

蒼天在上！過百萬人才因講了些話而被打成右派分子，生死兩茫茫，偉大的毛主席又說不怕群衆了。說的時候，臉紅了嗎？氣喘了嗎？

如今，偉大的毛主席的幾代承繼者，倒是學會了這種說的和做的完全合不上榫的本領，不但傳承，而且發揚光大：有時乾脆懶得說，只做。這不，有人解釋了爲什麼市場上不准賣菜刀了嗎？理由當然不是怕：「哪有馬克思列寧主義者怕群衆的道理呢？」

權力上繳

曾不止一次說過，對付用主人的思維方式來思考的奴隸，只要問他一個問題，他就會不知所措。當他由衷地感到他生活幸福的時候，問他：你有選舉權嗎？他會茫然，可能是一時之間不明白什麼是選舉權，然後就可以欣賞他的反應了。

中國共產黨在人民選舉權這問題上，有過很多極確切的定論，都說得斬釘截鐵，絕無歧義，隨手拈一例：

一九四四年二月二日《新華日報》發表社論《論選舉權》，如此說：

「選舉權是一個民主國家的人民所必須享有的最低限度的、起碼的政治權利……如果人民沒有選舉權，不能選舉官吏和代議士，則這個國家決不是民主國

家，決不是民治國家……凡是真正的民主國家，就必須讓人民享有選舉權。」

說得何等清楚明白！這些話，連同許許多多共產黨許下的諾言，都編入一本叫《半世紀前莊嚴的承諾》一書之中，其中有共產黨高層、開國元勳毛澤東、劉少奇、周恩來等人的講話，「共產黨人講話是算數的」，可是這本書卻被禁掉了，不易看到，只在網上能窺見一鱗半爪。那些承諾，當然也沒有了。世上沒有騙子，當年的中國人，都是傻子而已。

有沒有選舉權，可以分清百姓是奴還是主。沒有選舉權，即使國家憲法規定了「國家的一切權力歸於人民」（中華人民共和國憲法第二條），可是人民卻不得不把一切權力都上繳給了黨！

於是，人民是有權還是沒有？就成了永世的謎團。

偉哉！

波巴人民共和國

西藏，自從收入中國版圖，成爲中國不可分割的領土一部分之後，曾經鬧過多少次獨立？這問題要歷史學家才能回答。所知的一次，應該是最近的一次，是有一批人，曾在西藏地區，建立過一個共和國，人民共和國，有正式的國號：波巴人民共和國。

「波巴」是藏族的意思（不可和奶茶有聯想），這個共和國，就是藏族共和國。該國於一九三六年五月一日至五日，在甘孜縣召開了第一次全國代表大會，有十六個縣七百多代表出席，通過了成立中央政府，選出了領導人……總之，一切獨立國家應具備的過場，全部做足。這個共和國，就存入史冊了。比較特別的是，歷史還記載着這樣的一筆：爲了加強中國共產黨對波巴人民共和國的領導，

黨和紅軍派中共川康省委書記邵式平擔任波巴人民政府黨代表，劉紹文擔任顧問。

到這一筆顯露，這個共和國是什麼路數，也就眞相大白了：它是中國共產黨和中央紅軍建立的！

有國號，有國旗（稱爲波巴立，不知什麼圖案，旗上會不會有雪山獅子？）有政府（許多部門），這藏族獨立，搞得很徹底，也貫徹了偉大毛主席把中國分裂成二十七份的主張和中華蘇維埃共和國關於境內少數民族可以獨立的規定。

這共和國對紅軍北上，起了很大的幫助作用，有關的歷史文件記載了許多事實和人名，有藏人，有漢人，還有武裝，甚至有一個騎兵師。這種種，當然是毫無疑問的分裂國家，而且在中國共產黨領導之下進行，現在有了「反國家分裂法」，當然不宜再提。所以，有興趣知其詳情的，在化外，可上網查。在偉大的祖國，只怕是查不到的了。

上樑正、下樑歪

二〇〇九年過去了，中國反貪腐工作成績斐然，共處分各級幹部三千七百四十三人，其中，最高級別的是副部長級，共十七人。看起來，好像人數不少，但如根據煤礦礦難發生之後，有關官員的說法，就一點不多。礦難死了一百二十多人，有關官員說：沒死的有五百多人，才是主要的。準此，全國大小官員數以萬計，有問題的不足四千，眞是少之又少，不算什麼。

値得看一看的是被查處的那十七個大官——副部級，官位不低。這批黨官的官位很多樣化，有公安部部長助理（鄭少東）、有北京市副市長（劉志華）、有省委常委（福建陳少勇）、有國家開發銀行副行長、證監會副主席（王益）、有省人大常委會副主任（吉林米鳳君）、有市委副書記、市長（深圳許宗衡）、有

中石化董事長（陳同海）、有省委副書記（廣東陳紹基）、有廣西壯族自治區副主席（孫瑜）和寧夏回族自治區副主席（李堂堂）……等等，還有一些國企高層，族繁恕不盡錄。

這批被查處的官員，級別都到副部級爲止，沒有再高級的了。當然，可以當成沒有副部級以上的官員有貪腐問題。副部級以上官員，全都正氣掛帥，統是兩袖清風的好官。

有一句俗語，叫作「上樑不正下樑歪」，這句俗語，顯然不合中國國情。如今中國官場，是上樑正、下樑歪。上樑根根偉光正，下樑卻歪得難看之極，而且，愈下愈歪，小不然地方的公安局長，排場大起來，可比國王。何以會形成如此的中國特色，值得有關專家潛心研究。

或曰：當年查「遠華案」時，曾有一說，追究到副部級爲止，副部級以上，不問。這當然是老百姓不明眞相的胡言亂語。要當好老百姓，切不可信。

偉大的毛主席如何看群眾示威

偉大的毛主席如何看群衆示威？當然首先要決定還要不要聽毛主席的話。鑒於國家法定貨幣人民幣上還有他老人家的頭像、也根據首都地標天安門上還掛着巨像、再看各地毛像愈造愈大、最重要的當然是大閱兵中還有「毛澤東思想萬歲」的方陣，都可以證明毛主席的話，還是要聽的。

毛主席就群衆示威說過許多話，最具代表性的是這一段：

「如果脫離群眾，不去解決群眾的問題，農民就要打扁擔，工人就要上街示威，學生就要鬧事。凡是出了這類事，第一要說是好事，我就這樣看的。要允許工人罷工，允許群眾示威。遊行示威在憲法上是有根據的。」

毛主席特地指出「學生鬧事」，認爲「第一要說是好事」。他老人家的看

法，和如今一衆官員的看法就大不相同。現今官員對學生鬧事，非但一點都不覺得是好事，而且還殺氣騰騰、咬牙切齒、告以嚴警、血口譴責，離毛主席的教誨太遠了。毛主席那段話，說於一九五六年十一月十五日，場合是中國共產黨第八屆中央委員會第二次全體會議。

毛主席的話，官員們不聽，或許是對他的話有異議。不錯，這番話確然可有異議，有自相矛盾之處。他說「遊行示威在憲法上是有根據的」，又說「要允許群衆示威」，這就很矛盾：既然是憲法規定群衆有示威遊行之權，又何須任何人允許或不允許？那是人民在憲法保障下的權利，你沒有不允許權，也不勞你有允許權。使用遊行示威之權，由群衆決定。你今日有權允許，他日就有權不允許了。這道理極簡單，但賢如毛主席，在他這地位，也會有看不到的死角，以致認定群衆做什麼都要他的允許才能做了。

人命有價

都說人的生命不能用金錢價值來衡量，那是社會處於落後狀態、不夠進步、只知權力高於一切、沒認識到金錢力量偉大無匹時的說法。當社會昂首闊步進入金錢和權力結合的時代，人的性命，就變得有價錢了。

如今中國，就進入了這種人命有價的時代。好幾年了，都聽到煤礦礦主在礦難發生，死了礦工之後發出的叫囂：「二十萬一個，不算什麼！」那意思是，死一個礦工給二十萬，就可以了事，死一百個，兩千萬而已，不過是煤礦礦主少買三隻藏獒吧了。二十萬，那是維持至今的明碼實價。

礦工生命的價值好像比較低，像各地被有錢人飆車撞死的，家屬收到的錢，就多些，杭州枉死的大學生，收了三十多萬，對有錢人來說，小菜一碟，所以例

子很多，不勝枚舉。

最近，貴州關嶺布依族苗族自治縣坡貢鎮兩名村民，郭永華、郭永志，被當地派出所副所長張磊，開槍打死。警方先說兩個死者「襲警」（這罪名眞好使好用），後來屍體檢驗，發現死者都在十分近距離中槍，目擊證人說法也不同，群情洶湧，於是也出價，一人三十五萬。襲警罪有否取消，不得而知。

而更近的，一月七日，江蘇邳州市河灣村，官員孫孝軍（村黨委書記）、婁從瑞（鎮黨委書記）、婁飛（副鎮長）等，帶領人馬強徵耕地，打死百姓李冬冬，創了人命新高價：五十萬七千元。數字何以如此伶仃？那是根據一個人命價值公式算出來的。不是開玩笑，眞有這樣的公式。

人命有價，當然是大大的進步，當年餓死的、鬥死的、錯殺的……等等死者，若都能獲有價賠償，那國民收入定可大增，一下子從排名一百幾十躍升至世界第一，都有可能啊。

杜絕「尋釁滋事」之妙策

曾提及，官要入百姓罪，控以「襲警」，好使好用。近來發現，有一條控罪，比「襲警」更加好用，這條控罪，叫着「尋釁滋事」。

凡是百姓和官，有意見不同，或利益衝突，或百姓要追究官的失誤責任，或揭露官的種種不是……總之，官有不順百姓的行爲時，都可以控以「尋釁滋事」罪。這罪，甚至漫無標準，可以適用於百姓的任何行爲。例如，百姓要追問豆腐渣工程，是「尋釁滋事」，親人死得不明不白，要弄明眞相，也是「尋釁滋事」，國家憲法規定權力屬於人民，人民卻連選舉權都沒有，想要選舉權，更是「尋釁滋事」之尤。這控罪妙用無窮，官府翻雲覆雨，可是百姓還是不斷尋釁滋事，未能杜絕，最根本原因，是由於百姓有深厚的「國家興亡、匹夫有責」的觀

念。認爲國家事，他有份，所以才不斷找官的麻煩，形成「尋釁滋事」。要杜絕，最好的方法是：化國事爲黨事。

國家事，國民人人有份，個個管得。黨事就不同了，只有黨員有份，其他閒雜人等，不能過問。例如豆腐渣工程一事，一直有國民在「尋釁滋事」，只消追認所有塌屋死難者和死難者親人爲黨員，那就變成黨內事情了。黨員不怕犧牲，黨員親人犧牲了，也不會傷心，只會激發鬥志。當年偉大毛主席妻子楊開慧在湖南慘遭軍閥殺害，毛正和幼齒女紅軍賀子貞大談戀愛，可以證明。非黨員當然不能非議，想「尋釁滋事」也沒有了立腳點，當然就天下太平了。

又例如追認當年「六四」所有死難者爲黨員。屠殺就變成黨員殺黨員，不關別人事。文革時有一幫黨員，殺了多少另一幫黨員，有誰嚷叫過要平反的？就是因爲那是黨內事，毋庸外人置喙之故也。

閒話魯迅

這篇文，一看題目，就十分之不合時宜，魯迅是什麼人？年輕人就算還知道，也不會對他有多大的興趣，然而，魯迅，還是值得知道的，尤其值得知道的是，他作爲中國人，對中國人的態度。

魯迅說過、寫過許多對中國人的觀感。這些觀點，在他被捧成了「民族魂」之後，都被有意隱沒。而實際上，那些言論，才是魯迅眞正對民族劣迹的看法，十分精闢，而且用字之妙，很少有人可以比擬（不是沒有，香港可讀到的文章中，至少有七人以上，可以並駕）。

魯迅說中國人：「我向來是不憚以最壞的惡意來推測中國人的。」

這話等於說，他心目中的中國人，比最壞還要壞。這和近年來流行的說法：

「沒有最無恥，只有更無恥」相類似。他曾自稱是「民族的叛徒」，他是全盤西化最徹底的提倡者和鼓動者，對於一切「國粹」盡皆戮力反對，中醫，他早就「看透了中醫的嘴臉」，一直是反對中醫的領導人。京劇，戲劇家黃佐臨列舉中國文化大家，將他和梅蘭芳並列，使他勃然大怒，認為大辱。對這門藝術，他不齒得很。讀書，他對青年人讀書發表的意見是：

「青年人要少讀或不讀中國書，要多讀外國書。中國書總是讓人消沉，外國書總是讓人進取。中國書也偶有樂觀的，但那是殭屍式的樂觀，外國書也有頹唐的，但那是活人的頹唐。」

好傢伙，這樣激烈的言論，居然沒有引起憤青的圍攻，只說明一個事實：憤青只知道跟着指揮棒捧魯迅，卻根本不讀魯迅的作品。

魯迅對中國文化徹底否定的言論，放在今天看，也替他捏一把冷汗，可以想像，當年他是如何「橫眉冷對千夫指」的。他，真是勇士。

消息封鎖可以到達什麼程度

讀陶傑在《壹週刊》的〈坐看雲起時〉有關電子廢料在中國處理的情形。這問題實情已經極之嚴重，可是國人所知還是極少。早一兩年，還可以偶然見到幾張電子廢料在廣東一些鄉村堆積如山的照片，證實這方面的污染，可怕之極。近來，不但沒圖片，連報道都罕見，好像這問題已經不存在了一樣。

問題當然還在，而且當然愈來愈嚴重，外界得不到詳細的資料，不知道實際的情形，唯一的原因，是由於有關方面進行消息封鎖。在一個有效政權控制了所有消息傳播系統的社會中，消息封鎖是政權慣用的拿手好戲。若有人想突破封鎖，使眞相白於天下，各種各樣的罪名就會降落在他身上，具體例子太多了，舉不勝舉。近年慣用的罪名之一是「尋釁滋事」，大家也耳熟能詳的了。

或曰：紙包不住火，再怎麼封鎖消息，都不可能永遠不為人知。是的，不可能永遠將消息封鎖，但可以將消息封鎖到什麼程度呢？試舉一例以說明之。

一九七五年八月八日，河南省駐馬店地區大型水庫板橋水庫垮壩，八億立方米洪水衝出，造成下游十餘座水庫同時崩潰，洪水淹沒三十多個縣市，死亡人數數以萬計。這樣的大事，在有效的消息封鎖下，一直不為人知，直到一九九九年，《中國大洪水》一書才披露部分災情，稱有兩萬九千人遇難，後來陸續披露的遇難數字有高達二十三萬人者，迄今未有確數。

這樣的大災難，被列為「世界歷史上人為技術錯誤造成的頂尖十大災害」之第一位，第二位是切諾貝爾核子災難，竟能夠封鎖二十多年，可知封鎖力量之強大，到了什麼程度。

不是科幻小說，是發生在中國的事實。欲知詳情，可上網查細節，當可在出一身冷汗之餘，更了解這個國家如今政權的性質，有助增進愛國熱情。

偽共產黨

理論上說，在假大空世界裏，任何東西、任何現象，都有可能是假的。那麼，大膽問一句，共產黨，會不會也有假的？這樣問，頗大逆不道，有些不止是尋釁滋事。但竟然有此一問，卻是讀《毛澤東選集》的結果，也就是居然有膽量提出這一問題的原因。

偉大的毛主席預言會有僞共產黨的出現，就算不是預言，也至少是假設過有此可能，而且，他還留下了一旦僞共產黨出現，應該如何對付的方法。最高指示十分明確，絕不含糊，如下：

「如果這樣的共產黨不是為人民服務，而是掛着羊頭賣狗肉，那麼人民就要自發組織起來，以武裝的革命堅決打倒假共產黨！推翻其在中國的罪惡統治！並

全部、乾淨、徹底地消滅一切附着在這個奸偽集團上的官僚買辦漢奸勢力！」

（摘自一九四六年大連大眾書店出版《毛主席選集》第二卷第二百七十五頁）

毛主席這樣說的時候，當然沒有偽共產黨，後來，有沒有他所說的那種偽共產黨、假共產黨出現呢？誰又能判斷共產黨是真是假，或什麼時候起，由真的變成假的了呢？似乎唯一檢驗的標準，還是要用毛主席的話來判定。合乎毛澤東思想，是真共產黨，反之，是什麼貨色，不言可喻。

毛主席曾不止一次指出：「哪有馬克思列寧主義者害怕人民群眾的道理呢？」這是至理名言，真共產黨，真馬列主義者，本身就是人民群眾，和人民群眾血肉相連，不會害怕，不會欺躪人民群眾。此所以當年人民解放軍開入北平，人民敲鑼打鼓，夾道歡迎，人民歡迎的是真共產黨。至於後來，解放軍大閱兵，竟然不准人民觀看，臨街窗子要封起來，市場不准賣菜刀，怕人民怕成了這樣子的共產黨……

大家不妨大膽想一想它的真假——想到了，別說出來噢。當然，也萬萬不可用毛主席教導的方法對付，對不起了，毛主席啊！

敏感

有所謂「敏感詞語」，極之「中國特色」，所指的是許多官方不准老百姓談論的一些事。官員的本事再大，防民之口，甚於防川，當然做不到叫全民封口。但是，報上封殺，網上屏蔽，還是行有餘力，因此，就有了民衆上網，一有官方不願出現的詞語，就被封殺的情形出現，有時一段文字，被屏蔽得零零落落，成爲密碼，十分奇景。

敏感詞語包羅萬象，以下是一些例子，來自網上的牢騷：什麼都敏感，鎭反敏感，大饑荒敏感，文革敏感，913事件敏感，64敏感，太子黨敏感，強制拆遷敏感，公務員薪資敏感，中南海特供敏感，西藏敏感，新疆敏感，上訪敏感，領導財產敏感，珠海上海市民散步敏感，廣州的哥喝茶敏感，三鹿嬰兒數字敏感，

四川地震小學生死亡數字敏感，現在地溝油也TMD敏感。

以上的一些敏感，倒也罷了，最有趣的是領導人的名字也敏感，所以常看到這樣的情形：「江，澤，民」、「胡。錦。濤」，在名字中加上符號，才能上得網，怪異之中，不失奇趣。這情形令人想起當年上海日治時期，上海人爲了可以罵日本人而不被罰，將幫會切口簡化爲一種漢奸日人聽不懂的黑話，稱之爲「南宮話」，在青少年學生中尤其流行。

青少年操「南宮話」，在學校，當面大罵日本人、罵漢奸，十分痛快。當然，不必多久，就穿崩了，所以流行時間極短。這種黑話，是將「南」、「宮」二字，嵌入每個字之中。例如：「迭南隻宮日南本宮赤南佬宮頂南頂宮下南作宮。」當面說，日本赤佬也聽不懂，說的人也就精神勝利了。

又是網上的笑話：「若女人的敏感位和國家的一樣多，做男人可容易多了。」眞抵死，屏而蔽之，誰曰不宜？

殺人英雄

民間，很有以殺人兇手爲英雄的風氣。當然，崇拜殺人英雄，民間也自有它的標準：殺壞人的，是英雄，殺好人或無辜者的，是兇徒。可惜，標準含糊之極。更可悲的是，這種標準，竟然長期替代了法律，成爲理直氣壯的行事準則。

把殺人兇徒視爲英雄的觀念始於何時，很難確定，可以肯定的是，《水滸傳》這部小說，大大地贊助了這種風氣。看小說中的「英雄人物」，莫不殺人如砍瓜切菜，形容殺人的經過，有「排頭兒砍將過去」這樣駭人聽聞的句子。寫殺人者的心理狀態，每有「殺得興起」之說，拿他人生命當電玩，「酷」之極矣。

就算說，殺人者是被迫得走投無路了才這樣做的，又或者「文藝」一些，說當黑暗欺壓善良，善良被迫反抗，以暴力對付，理所當然。一個龐大的政權，甚

至就建立在這樣的理論基礎上，這樣說，就形成了暴力的持續，昔日以暴力反抗，他日也成爲暴力反抗的對象，幾千年歷史就這樣形成了。

一直到二十一世紀，情形還是如此。楊佳，在上海殺了六個警察，民間叫好之聲不絕，審判時，民衆聚合以示支持，被稱爲「少俠」。再早幾年，山西有一個叫胡文海的，殺了十四人，大部分是村幹部（村支書、村主任、村會計等），有的全家被殺，連娃兒都不放過，兇殘至於極點。審訊時，絲毫沒有悔意（兇手的悔意要來何用？），而且還說自己殺得好，殺得太少了。說了之後，報道說：「聽衆席上爆發出一陣掌聲，審判長急忙制止。」

（欲知詳情，搜索網打入胡文海。）

兇手認爲自己爲正義而殺人，旁人認同，所以有了殺人英雄，誰對誰錯，難以肯定，絕非正常，倒是一定的。

釜底抽薪

中國官方爲了不讓民衆在互聯網上胡言亂語，有損大國人民的尊嚴，想出了很多方法。例如設立了「防火牆」，屏蔽敏感詞語。例如設置「網警」，日夜審查，一發現有將言論自由亂用的，第一時間刪而除之。例如組織群衆，排山倒海發帖支持國家政策，替黨說話，形成俗稱「五毛黨」的功能組別，等等等等，機關算盡，方法層出，不過好像民間仍然以網絡來表示不肯和諧，難道眞的沒有好辦法了嗎？

當然有的，領導人當然也早已想到，只是不知道有什麼深層原因，不用有效的方法。這最有效的方法，極簡單：釜底抽薪是也。將柴火從釜底抽出，看你釜中的東西還能作什麼怪。具體的實行法就是：一律不准上網，上網者以顚覆國家

罪論處。那就天下太平了。

或許有人會說：這樣，太中國特色了罷？就是要中國特色，就是要大氣魄地畫大水墨畫，學偉大毛主席的思想。不要上網，有什麼了不起。毛主席連憲法都不要：

「世上本無事，洋人自擾之，沒有憲法的社會，是最好的社會。中華五千年，從來沒有憲法，也沒見什麼損失嘛！」（一九五四年在憲法討論會上的發言）

試將話中的「憲法」易為「上網」，不是天衣無縫嗎？

沒有上網的社會，肯定比有上網的和諧。當年河南駐馬店水庫崩壩，大災難死亡人數以萬計，可以一瞞二十餘年，就是因為沒有上網，哪像現在，煤礦出了一些小意外，獲救的幾百人沒人說，死了的百餘人吵翻了天。還有什麼人肉搜索，硬是和優秀黨官過不去，洋人自擾的玩意，大國早已崛起，還有什麼理由跟着洋人起舞？

若真是連這樣都不管用，就乾脆禁絕電腦——連釜都砸了，看你燒什麼！再不管用？全國斷電！保證杜絕。

馴服工具

日前，介紹偉大的毛主席對國家憲法的看法。他根本反對國家立憲法，而新中國在他領導下，居然有了憲法的原因，他也說得很詳細，有多項原因。有趣的一條，他說因爲洋人國家都有，所以新中國也不妨弄一部。這部憲法的作用，自然是要來擺擺樣子，裝飾作用甚於一切。若有人不理解，眞要根據這憲法來行事，當然大悖毛主席的「立法原意」，屬於「尋釁滋事」了。

毛主席所舉新中國立憲法的原因之中，有一個，極難明白，高深之極，他說：「由於知識分子還沒有成爲黨的馴服工具……」知識分子有沒有成爲黨的馴服工具，和立不立憲法，扯得上什麼關係？這只怕和相對論一樣，全人類之中，只有極少數人才能明白了。

整句話中，最難明白的是，「馴服工具」一詞。工具是死物，隨意使用，像黨旗上的鐮刀鐵鎚，拿來就用，割草打鐵、剃頭敲釘，甚至砍頭殺人，都可以，工具絕不會反對，也根本無所馴服不馴服。這當然是粗淺的理解，深入一些，就可以看到，這裏的工具，專指知識分子，那就和普通工具有所不同了。

知識分子是人，而且不幸有思考能力，要將之當工具用，自然非先馴之服之不可。偉大毛主席當真高瞻遠矚，數十年來，馴服知識分子的各種「運動」不絕，終於馴服出「做鬼也幸福」這樣震古爍今的詩句來。只是可惜的是好像未竟全功，還有不少知識分子不夠馴服，仍然尋釁滋事，偏偏他們又都根據憲法行事，這就更顯得偉大毛主席當初反對立憲法之英明，只可惜毛主席沒貫徹己見，以致遺禍至今。

或問：那麼，現在高唱入雲的「以法治國」是怎麼一回事？很簡單：你相信，就存在，你不信，就有罪！

新階級

約五六十年前，南斯拉夫共產黨主要領導人、南斯拉夫聯盟副總統，吉拉斯的著作《新階級》出版。這是一個從共產主義迷夢中覺醒的先知對共產主義運動所作出的分析。他肯定，當共產主義運動取得勝利（奪取了政權）之後，就一定會出現新的統治階級，這個新階級的恐怖程度，遠在一切舊統治階級之上。《新階級》是絕頂好書，讀者遍及全球，若還未讀過，亟宜一讀。

在中國，這個新階級，早已形成，日趨成熟龐大無匹。

又要抄人家的文章，沒辦法，自己寫不出，只好抄。抄自網上，原作者是誰都不知道，抱歉之極。文章說中國的新階級：

「一個充滿神秘色彩的社會群體已奪去了全中國所有的光芒，他們開着『自己

的』大排量名牌汽車，出入高檔酒樓、高級夜總會，乘坐頭等艙或軟卧，住星級賓館，擁有黃金位置的幾處豪宅，購全套紅木家具，在位置最好、景觀最佳、裝修最豪華、質量最安全的辦公樓上班，獨立辦公室，不打卡，飯局、會面、喝茅台五粮液、品天價普洱、抽極品中華、精裝《毛評二十四史》、VIP、炒股投資保險理財、收藏古玩字畫珠寶黃金、高級會所、勞力士、路易威登、奢侈品、國際頂級品牌服飾、高爾夫、公派出國、移民、護照、拉斯維加斯、美容減肥按摩、組織體驗、療養、免費醫療、貴族學校、MBO、脫產學習、黨校、傭人、情人、養藏獒、帶薪假……」

「他們就是在全中國一線二線三線城市遍地開花，全面崛起的新興黑領階層。相對於乾乾淨淨清清白白的白領，他們的衣服是黑色的，汽車是黑色的，臉色是黑色的。他們的收入是隱蔽的，生活是隱蔽的，工作是隱蔽的……所謂隱蔽，就是像站在黑夜裏的黑衣人，你知道他在，他也知道他在，但你不知道他什麼樣，在做什麼。他們就是就職於政府和官有壟斷企業的那個龐大群體。」

繁榮啊，進步啊，崛起啊，都是眞的，全是他們的。是了，沒有提到的，是他們還肆無忌憚地欺壓殘害人民，把老百姓當成屁民。

神州大地

自動下跪的示範

四月二十一日，在湖南衡南實驗中學的操場上，出現了一個班的學生，在班長的領導之下，集體下跪的奇景。有奇景發生時的圖片，很清楚，一班數十人，一旁有百餘學生圍觀。班長率衆下跪，是因爲不知有什麼行爲，惹班主任生氣，所以下跪向班主任認錯，作深刻的自我檢討。報道強調，不是班主任要求學生下跪認錯，而是這位班長的決定。

又從照片上看到，班長帶頭跪在一衆同學之前，同學中有的好像不情不願，更有偷工減料，只用一膝下跪的。在這奇景之中，最值得注意的自然是那位帶着同學、自動下跪的班長了，他簡直是不世出的人才：不等喝令，自動自覺，不但自身，而且率領群衆，低頭認錯，乞求饒恕，這種由精神到身體的行爲，多麼令

人歡喜啊！想想，若是全國百姓都有這樣的自覺精神和行爲，那還要武警幹什麼？武警再負責保衛治安維持和諧，總也不必對付已經跪下認錯的人了吧。當然，社會也就和諧之極：都自動跪下了，還有啥不和諧的？

聽說正在拍攝電影《雷鋒傳》，向雷鋒學習，應該叫停，改拍那位班長的自動下跪記，才是當今建設和諧社會的要旨：那十多萬以爲北京有道理可講的「精神病患者」，受了那位班長的感召，全都自動下跪之後，將他們捉到精神病院去，也就容易多了。可知那中學生，比北大教授還有用！比雷鋒更值得學習！

所以，說什麼「中國人要管」，主子聽了雖然喜歡，比起率衆自動下跪來，道行相去太遠，立馬被比下去了。由此可知，上學還是有用，一個中學生，所作所爲，勝過江湖打滾幾十年，眞要努力追上去，想些新花樣，說中國人要自動下跪也遲了，若在主子眼中還不如中學生，可大大不妙啊！

無產階級聖女

日前提及的「洗腳城」女工刺死鎮招商辦主任一事，已成爲最近中國大陸最爲人民關注的社會事件。中國人民通過各個互聯網發表自己對這件事情的看法，數以百萬計的意見之中，百分之九十九點九九，站在女工鄧玉嬌這一邊。譴責那個官員（死者）的用詞之嚴厲、表示對該官的鄙視、痛恨，可說已用盡了中文所有的負面詞句和字眼。老百姓將對該類官員的憤怒和不滿發泄在那個死者身上。相信這段時間，接觸到網上對此事件的人，都會認爲那是奇觀。

如果那官員的行爲，只是個別行爲，民憤必然不會如此之盛。人民不但作了大量詩、歌、文章來歌頌鄧玉嬌，而且還封她爲「無產階級聖女」，將事件提升到了高度原則上來討論，以下是衆多同類文章中的一段，很具代表性，請細心

看看：

「後來，『四大自由』被從憲法中刪除，同時刪除了資本主義國家憲法中都明文規定的『罷工權』。一個最兇惡的官僚資產階級集團形成了。社會主義建設的成果被他們據為己有，並出賣給西方國家換取政治支持，最終中國勞動者成為全世界剝削階級的血汗工具。為了壓制勞動者的反抗意識從而維持他們的統治地位，他們對毛澤東，對中國革命，對中國思想道德領域進行了全面持久的毒化醜化行為，中國人民的精神面貌和道德水準被他們無數次地傷害和擊穿，最終我們這些普通勞動者深深地陷入『抑鬱症』之中無法自拔無法反抗，任由權力和金錢勢力無休止的壓迫和剝削，無止境的出賣和傷害。」

「直到聖女鄧玉嬌刺向奸官的那一剎那，歷史的引擎被重新點燃了，她的正義行為開始喚醒了深陷抑鬱症中的中國勞動人民，人民覺醒的時代已經來臨！」

驚人吧？

會爆發的

眞不好意思，又不得不做文抄公。實在是覺得從網上看到的文章寫得太深刻，能眞實反映中國人民的民心，值得介紹給香港人看看的緣故，不能保證今後不那麼做，但當然，盡量少抄。

香港人常去大陸，主要是去吃喝玩樂，不關心也不想關心那裏眞正的民生狀況，只傍偎表面的繁華，不去了解民憤已到了什麼程度。多接觸一些來自大陸內部的評議，可以知道，民憤，到了一定程度，是一定會爆發的！也可以知道，如今中國，在繁華的表象之下，掩蓋着的是窮兇極惡的金錢掠奪和暗無天日的極權統治。

要引用的文字還是由鄧玉嬌引發的，論及中國的司法：

「中國的法律如今是典型的欺軟怕硬：對普通老百姓兇神惡煞，對達官貴人畢恭畢敬——『與未滿成年的少女發生性關係按強姦論處』這一條法律一碰到『公僕』就不算數了，就變成僅僅是『嫖宿幼妓』了，就變成『不知是未成年少女不算犯罪』

了，刑法對『花六千元『買處』的局長』就網開一面了。豪門闊少橫行霸道，開車在馬路上橫衝直撞如入無人之境，撞死了人還不准網民調查家庭背景，唯恐驚擾了『新社會階層』的安寧。而對無權無勢的普通老百姓則完全是另外一種嘴臉：稍有不遜立刻立案，立刻拘捕，立刻判刑——王帥從寫文章到下大獄才用了幾天？『警察進京拘捕記者』呢？內蒙古的吳保全呢？第一次被刑拘十天，第二次以誹謗罪被判刑一年。吳不服而上訴，市中院以事實不清為由裁定重審。結果，在沒有新增犯罪事實的前提下，刑期卻從一年改判到二年。這還不算，今後『無業無家者將被嚴密管死』——對付老百姓雷厲風行，毫不留情，效率之高無與倫比。而鄧玉嬌一案呢？只見雷厲風行把受害者鄧玉嬌關進大牢拚命查『精神病』，不見對那兩個尚活着的『公僕』強姦犯有任何措施，對比何其鮮明也！」

「鄧玉嬌一案已經成了中國法律的試金石：法律如果對如此清楚明白的案情都不起作用，那對其他任何案子還能起什麼作用？還怎麼讓老百姓相信法律能保護自己。」

很有助於明白那是什麼樣的社會。

都是色情網惹的禍

中國政府大力掃蕩色情網，其中措施之一是規定所有電腦，一定要安裝一種叫「綠壩」的防護網。這網，首年費用由國家代繳，愛民之心，唯天可表。有不識趣的記者問外交部發言人關於這措施的問題，被發言人反問：你有孩子嗎？問得那記者幾乎神經錯亂，可知這防護網，是為了保護孩子而設的，孩子接觸色情網，長大了會變色情狂，所以防範未然，要禁。

想通了這一點，忽然又生新疑點。新的疑點是，現在的那些色情狂，是如何會成爲色情狂的呢？

爲什麼全國各地都有無數色情場所，如巴東縣這樣的小地方也赫然有「雄風城」供色情狂去大展雄風？（展而不成，嗚呼哀哉，那是個別事件。）色情場所

提供的色情服務，早已領導世界，全國孩子會不知道嗎？

又爲什麼各地都有色情狂官員專喜嫖幼妓，稱之爲「買處」，有幼至十二歲者。這種變態色情狂甚至不理會幼女的求饒，結果也不算犯罪，他們又是受了什麼影響才會從人變成了獸？

再爲什麼遍佈神州大地的各級大小貪官，都毫無例外地包養情婦？而且情婦的數字有多達一百三十多個的？其中著名的一個超級色情狂，將和每一個情婦性交過程詳細記述下來，並附體毛一條爲證，開人類色情文字未有之奇，他們這些，孩子時候又是受了什麼影響？

思之再三，發現這些色情狂有不少共通點：他們都在六十歲以下或超過不多；他們都是共產黨員；他們都是政府各級官員。統而言之，他們都是在相同的環境和教育中成長的。循此軌迹，要找他們成爲色情狂的原因，其實並不困難。一下子就找到了：都是小時候看色情網惹的禍！什麼？他們小時候沒有互聯網？

哼，你有孩子嗎？

（綠壩忽然暫停執行，高深莫測之至。）

爆發中

日前，以「會爆發的」爲題，寫中國大陸暗無天日的極權統治，窮兇極惡的金錢掠奪，必然會爆發人民的反抗。歷史上不斷有過同樣情形的重複，歷史的規律，無可避免。這「會爆發」的預測，很保守，應該是「開始爆發」。這可以從每天都在發生，蔓延全國各地，規模大小不一的民衆和政府的「對峙事件」中，清楚地看出來。

近日，這種對峙事件的規模愈來愈大，已經可以說，人民抗暴行動，是在爆發中了！請看最近兩宗事實：一宗發生在江西南康市，上萬民衆，燒毀了十輛警車。警車在民衆的反抗行動中，早成爲主要目標，可數字之多，以此爲最。另一單更堅，在江蘇省江陰市，數千民衆，圍堵市長，群情激憤下，痛毆之。這位王

錫南市長，沒有勇敢地和「反革命分子」作堅決的鬥爭，而是在公安的保護之下，戴上頭盔，落荒而逃。

遭到對抗的官員，級別愈來愈高，這說明了老百姓已經不怕死了！老百姓為什麼不怕死，是因為已經被迫到死境了。左右是死，必然產生拚死之心。中國人，尤其是漢民族，本來是最缺拚死之心的，然而，極權統治者卻以為「最缺」就等於沒有，硬是一步一步把老百姓往死裏逼，終於逼出了老百姓的拚死反抗。

那麼多人民以群體力量和政府對抗的例子天天發生，香港還有一些人在捧黨的場，叫香港人努力愛黨。錦繡覆蓋的已是爬滿蛆蟲的腐屍，縱使看不到，那股惡臭，難道也聞不到？這些人現在才來押寶，是不是太遲了些？

全國各地爆發的反抗，大量公安武警軍隊，可以鎮壓於一時，鎮壓的手段必然愈來愈兇暴。但，能夠長久鎮壓下去嗎？至少，歷史上沒有這樣的例子。

湖北石首、山東東明、江蘇江陰……

才寫完〈爆發中〉一文，不幾天，又爆發了好幾宗大規模的「群體事件」。和所有群體事件一樣，衝突的雙方，都是軍警官員對老百姓。

且就其中兩宗，簡單分析一下。

湖北石首那宗，起因是一名男子死亡，公安和死者家屬看法不同而引發。一方判定自殺，一方認爲死者得悉了官商勾結的罪行而遭殺害。這本來不構成民變的條件，可是由於百姓對官方已完全失去了信任，再加上官方亟亟於要火化屍體，於是老百姓要討公道，聚集了過萬人，上千武警出動，被採取暴力行動的百姓逼退三次之多，經過情形，youtube網上「石首一心」(2)，那段五分二十六秒的錄音片段上看得最清楚。一旁有女聲高呼「打得好」助興。一邊武警制服盾牌武

器，一片灰色，一方老百姓衣着紅黃藍白黑，七色繽紛（人民生活比三十年前好了的證明）。這宗事件，起因和不久前貴州甕城的那宗幾乎一模一樣。關鍵詞是：官商勾結、死因爭執、急於毀屍滅迹等等，而根本原因是民衆對官府的極端不信任，對立情緒極端高漲所致。

江陰那宗，起因是由於環境污染。學校附近的工廠，排放有毒氣體，導致超過六百名學生中毒。這工廠能這樣肆無忌憚放毒，當然是有後台，學生家長怨氣累積，在縣長、副縣長向三千學生家長講話時，縣長只講了幾句話，家長的怒氣已經爆發，衝上講台，饗縣長大人以老拳，縣長大人戴上頭盔，鼠竄逃走，兵荒馬亂之時，這頭盔不知從何而來，莫非早知會挨揍，早準備好的？若如此，這位縣長倒不失勇敢。縣長捱打，除了官府威信已等於零之外，想不出有別的解釋。

標題上山東東明那宗，慘烈無比，非同尋常，要專文分析。

抗議不如起義

山東省東明縣，有一群民衆，發出了極其驚人的吶喊，他們喊出的口號是：「抗議不如起義！」

他們成立了一個「山東東明起義軍司令部」，發出了山東東明起義軍司令部告全黨全軍全國人民書。這封公告書全文很長，香港有《蘋果日報》提及。網上有，如果還沒有被「和諧」掉，不妨找來一看，可以說它很誇張，但確然字字血淚啊！

這裏，當然只能略爲引用原文。東明人要起義的原因是：「被污染死，不如反抗死！」對，他們拚死，據公告書所稱，是因爲拚，是死（拚不過坦克車機關槍）；不拚，也是死，死於污染。

是什麼污染那麼惡毒？原來在該縣，建立了四座「環己酮工廠」，排放的廢物，造成對生命極度危害。公告書寫得很詳細，不是很看得懂那是什麼化學毒害。情況是：三年來，該縣突爆發怪病「甲狀腺腫瘤」，單是城區居民患者就有五六萬，且在迅速增加，死亡人數無法統計。

這四座化工廠，據稱是縣領導有股份，所以無人監管。一樁本來由環保局可以處理的小事，公告書說：「呼籲、哭訴、上訪、下跪，我們都試過了，無人理睬。」於是，他們要採取行動：「敢死隊將毀滅污染工廠，毀滅廠房，盡量不傷人，只殺東明縣長縣委書記。」公告書號稱已有數千人簽名參加。

公告書中所說的事，爲什麼沒有認眞調查一下？畢竟老百姓是不會無緣無故就要找官府拚命的！調查淸楚，處理了，是小事，不瞅不睬，認定了不會變大事？還是眞有些人暗中立定了主意，非逼民造反不可？只有靜心觀看了。

咱們工人有力量

吉林省通化鋼鐵廠數萬工人，以極其激烈的行動，反對民營企業併吞國有企業，將民營企業派來的總經理活活打死，吉林省政府連夜宣布取消侵佔國有企業的行動，事情才得以暫時平息。

事件發生在七月二十四日。

這件「群體事件」具有極重大的意義，對執政的共產黨來說，震撼力在一切同類事件之上，足可以成爲「建國六十年」的最偉大的獻禮。因爲，這次起來反抗的是產業工人，是共產黨賴以起家的工人階級，理論上是無產階級專政政權的中心力量。簡單來說，共產黨是從工人階級中產生的，怎麼連工人也造反了？難道是又一次無產階級革命開始了嗎？歷史上的無產階級革命，不就是這樣開始的

嗎？

事件發生的原因，十分簡單：窮兇極惡的金錢掠奪和暗無天日的極權統治相結合，令基層勞動者忍無可忍的爆發，絕非偶然事件，而是必然結果。

那民營企業曾侵入通鋼，因無利可圖退出，近來發現有利，又進行併吞，那被打死的總經理，曾有豪言壯語：「我要三年之內讓通鋼姓陳。」「等我上台，所有通鋼原來的人一個不留，統統滾蛋。」資本家嘴臉之猙獰，得未曾有。而極權統治，卻與之配合，由他要去就去，要來就來。沒有高層官員的批准，能這樣嗎？當號稱工人階級的先鋒隊共產黨的政權，和金錢勢力勾結得如此徹底的情形下，廣大的無產階級還會跟着這個變了質的先鋒隊走嗎？

通鋼事件表達的就是這樣的一個原則性問題，它不是「敲起了喪鐘」，而是已經組成了的送喪隊伍。

工人展示了力量，通鋼事件必然會在歷史上佔有重要的地位，如同歷史上其他許多重大事件一樣。

黨中央的話

電視新聞記者在北京採訪生活困苦的老人家，那是眞正的弱勢社群，衆老人紛紛就目前貧苦生活向記者「吐苦水」，有的不乏老北京的幽默，說要到西方去旅遊，那地方叫極樂世界。說白了，就是除了死路一條之外，已經被迫得無路可走了。有一位老奶奶的話更令人心酸，她老人家訴說：「欺負人哪；欺負老人哪！」又指責：「都不聽黨中央的話了！」

老奶奶都活到這份上了，還對黨有信心，她這樣指責，顯然是她認爲只要聽黨中央的話，一定會有好日子過。這位老奶奶對黨有這種程度的信任，當然是由於六十年來，黨日日夜夜對人民進行教育的結果，在人民心中培植了對黨的信心，這是黨的成功。

可是，值得研究的是，老奶奶指責的「不聽黨中央的話了」的，是些什麼人呢？什麼人不聽黨中央的話，令社會貧富懸殊到了這種程度，毫無和諧可言？什麼人不聽黨中央的話，不以民爲本，反倒與民爲敵，金權勾結，逼老百姓不斷造反？

是什麼人不聽黨中央的話，各種惡行不絕？黨中央可曾號召貪污？黨中央可曾鼓勵嫖幼女？黨中央可曾提議養情婦？是什麼人非但不聽黨中央的話，而且在行爲上反其道而行！在那些人的心目中，黨中央的話，只是個屁啊！

答案揭曉，是人類歷史上最大的荒謬：最不聽黨中央話的，正是各級黨官，都有黨委書記，或黨組書記等官位，是黨的組成原件。沒有了他們，就沒有了黨。正常的情況是，黨中央的話，就是鐵的紀律，非聽不可的，然而，他們就是不聽，連普通一個老奶奶都知道沒人聽黨中央的話了。

完了。

「任何人都改變不了這一事實」

什麼叫睜大眼睛說瞎話？近日有一個極典型的例子。中國外交部發言人，被問及東海海域、中國領土釣魚島的一些事，發言人先肯定了釣魚島是中國領土，然後補充了一句：任何人都改變不了這一事實。

這句話，就是睜大眼睛說瞎話的典型。因爲，明明已經有人改變了這一事實，把中國領土釣魚島霸佔了、「合法」化了、中國人已不能踏足自己的領土了、中國船隻（包括台灣船）已完全無法在釣魚島附近的中國海域航行了。而在中國船隻完全不能接近釣魚島的同時，日本船隻卻在那裏耀武揚威，以實際行動而不是口頭堅持，宣示釣魚島是日本領土、附近海域是日本領海，公然行兇，撞沉中國船隻（台灣漁船，台灣是中國的一部分）。外交部發言人沒有問日本人有

沒有孩子，於是全世界都看到、而且也都確實知道，釣魚島已不再是中國的領土了！

而中國外交部發言人還在說：任何人都改變不了這一事實。

改變了這一事實的並不是空泛的「任何人」，而是明明白白佔有了釣魚島的日本人，而且不是偷偷摸摸的佔領，而是明刀明槍，說佔就佔，不但佔了，還拉幫結派，拉了美國來證明侵略之「合法」。情況是：中國領土釣魚島已經徹底被搶走了，沒有半分事實可以說明那還是中國領土，可是發言人還在說：任何人都改變不了這一事實！

日本敢如此公然侵佔中國領土，唯一理由是看透了中國「講就天下無敵，做就有心無力」的紙老虎本質。這一點，連南海一些小國都看透了，爭先恐後搶佔中國領土，都已成事實。

或許，發言人的話，要從另一角度去理解：釣魚島已經變成日本領土啦，任何人都改變不了這一事實！

阿婆當面罵總統

台灣巨災，總統馬英九落災區，電視新聞中看到，一位阿婆，面對他破口大罵，看了幾遍，很有些感想。

（馬英九的正式官銜是「中華民國總統」，但一般傳媒都稱之為「台灣總統」，很有「一中一台」之嫌。而共黨和附庸，則別出心裁稱之為「台灣地區領導人」，不倫不類得很。）

阿婆當面罵馬英九，甚不留情面。直斥他會不會做總統，若不會做，就換別人來做。非但如此，還罵了一句「髒話」。阿婆罵的是什麼髒話，電視新聞播出時消了音，聽不到，要請教唇語專家。而得知阿婆罵了髒話的，是總統身邊有人立刻道：「不要說髒話」，而總統，卻像是聽不到，沒反應。

這位阿婆，當面直斥總統，表現了老百姓當家作主的氣概，她充滿自信，確實知道，不論她罵得對還是不對，她有這權利罵。因爲她有選舉總統的權利，選你，你當總統，不選你，你什麼也不是。知道嗎？這就是民主。也就是爲什麼老百姓竭力要爭取而極權統治者竭力要反對的原因。

民主社會，阿婆可以當面痛斥總統，總統身邊的護衛不會起飛腳踹阿婆，阿婆也不會犯泄露國家機密罪，事後，也不會遭到公安的跟蹤，也不會有「文人」撰文要阿婆別發火。一切的美好，都來自簡簡單單的民主二字。而這樣的情景發生在台灣。說台灣在地理上屬於中國的一部分，殆無疑問，可是在人文上，爲什麼如此不同？

胡主席在日本，告訴日本小學生，說他當主席是人民推舉的，和馬總統的民選不同，絕對不會有什麼阿婆阿公會當面罵胡主席。

爲什麼？因爲他主席當得太好了，人民個個滿意，人代大會上得票率接近百分之百，所以只有讚頌啊。

不明真相的臆測

四川大地震，許多校舍倒塌，壓死了許多學生。學生死亡數字，至今仍是「國家機密」，至於那些校舍，何以如此容易倒塌，地震發生後，有認爲是校舍屬於「豆腐渣工程」，懷疑其中有官商勾結的貪腐行爲。當時，官府也曾很努力地說，一定要徹查。

後來，徹查了，結果由四川省副省長宣布：不存在豆腐渣工程，校舍倒塌，是由於地震震度太強，沒有人需要負責。出動到了副省長這樣的大官來宣布這樣的小事，可見當局對事情的重視，當然也宣告了事情已經結束，不得再議。識趣的，就應該忘記，努力向前看才是。

可是，據說從歷史上來看，防民之口，甚於防川，要堵塞天下百姓悠悠之

口，最是困難不過。可不是嗎，就有人，硬是不信副省長的宣告，還是要查。這一查，就涉及國家機密啦，就捉將官裏去啦。

本來，查建校工程是否有貪腐，是一樁小事，就現在的貪腐盛行程度來看，簡直不算什麼，查出一些官來，糊弄一番，也就大事化小，小事化無了，何必如此大張旗鼓，干冒天下之大不韙，亟亟掩飾，將要追究者提高到最高罪行來打擊呢？

於是，欲蓋彌彰，老百姓不受管制的那張口又議論紛紛了：這樣做，究竟爲什麼？大家都在猜，不明眞相之極，猜到的是：追查下去，可能追到一個不能被追查的人，這就不得了啦，所以必須及早剎車，當官的先知先覺，早已軋出苗頭，不識趣的老百姓不知不覺，就一腳踢在鐵板上了。

什麼樣人是「不能被追查」這一級？要猜出來也不難，但，還是別猜了。猜，就是臆測，就是不明眞相亂說，然而老百姓又沒有途徑可明眞相，老百姓追究眞相，想明眞相，就觸及國家機密了！

眞是弔詭。

不得妄言追查

前文提到有一種「不能被追查的人」，那不是臆測，也絕不是小說情節，而是在權力結構層中，確然有這一層次人物的存在。這一層次，當然是權力結構中的最高層次。也就是說，這一層次的人，不能追查，就算追查了，也沒有意義，查來查去，查的人，全是他的下屬。查的人所擁有查的權力都來自他的授予，那還查什麼？自然，就到此止步，不能再查下去了。

事情到了這一地步，自然難看之極，可是古今獨裁者絕不在乎事情是難看還是好看，只要不影響到他獨裁統治地位，幹什麼都可以——這一點，最近有獨裁體制的大員向全世界宣告過，留心時事者必可知道。

有不少例子可以證明不能追查的人之存在。例如賴昌星為主罪犯的福建遠華

走私貪腐案，貪腐受賄的官員一級一級揪出來，一級一級查上去，查到了總海關副關長、中央公安部副部長這一級，眼看再往上查，就到了「不能追查」這一級了，當時還聽到一些豪言壯語，說什麼不論是誰，一查到底等等，聽起來像是眞有那麼一回事。

後來如何？當然沒有再查上去，據說有了決定：追查到副部長一級爲止。這據說，當然也是小道消息，因爲這稀世大案的追查過程，從未透明公開，老百姓自然只好不明眞相。

這遠華案，如果再查上去，會查到什麼樣人身上，倒也昭然若揭，稍知此案大概者都可以知道，但既然不查上去了，基於對國家領導應有的無比信任，自然要當作就到副部長爲止，不然，國家機密豈是百姓能參與的？

還有，河南省愛滋病肆虐一案，民間有妄議追究責任者，一律嚴打，被嚴打了，若是還要叫屈，那就該再捱打，連追究責任會追到「不能追查的人」都不知道，怎麼當好百姓！

太可憐了

有一號人物，武俠小說中常見。通常，是武林大豪，北五省武林盟主之類。或者，是什麼幫派的首腦，等等。總之，是地位極高，而且武功也極高的人物。

這等人物，住在什麼堡什麼莊中，他的住處，防衛嚴密，前八層、後八層、左八層、右八層，遍佈高手，外加機關重重，防止外人侵人。他住在這樣安全的環境之中，仍然兵刃貼身，拿刀劍當枕頭，他心愛的美人睡在他身邊，熟睡中轉身，纖纖玉手碰在他臉上，電光石火之間，他無時無刻不繃緊的神經發動，以為受到了襲擊，一刀揮出，美人香消玉殞哉。

這種人，感覺還特別靈敏，在普通感覺之外，他們還能感到「殺氣」，在他們靈敏的感覺中，殺氣無處不在，忽而自內部產生，忽而自外面展佈，更可怕的

是內外勾結。於是，原來的四八三十二層防衛不夠，再加三十二重，嚴格禁止有任何人接近，以一丈爲限，有人不小心近了一寸，到了九尺九寸，格殺勿論。

這種人，這樣戰戰兢兢地活在森嚴密集防範之中做他的武林盟主，身子倒可保安全，可是內心如此恐懼，怎麼做人啊，看到自己的影子，會不會出冷汗？這樣活着，實在還不如被人一刀殺掉。

小時候看武俠小說，看到了這樣人物，都忍不住一面笑一面叫：太可憐了！有一次，看到小說中這樣的一個人物，甚至怕敵人自天而降，所以從來不敢處身藍天白雲之下。記得當時的反應是：扯淡！哪有這樣的神經病。

然而，忽然聽新聞報告，爲了「安保」，不准放飛鴿子，不准放風箏，甚至禁售菜刀……怕成了這樣子，印證了現實比小說更離奇，當然不敢說是神經病發作，只好說：太可憐了！

萬人空巷看奇景

十一月六日，陝西省榆林市有一項人文奇景，吸引了上萬百姓觀看，場面十分偉大。設計這項奇景的官員，辦事能力很強，知道如何發動群衆，投民之所好，十分了得。比起大閱兵，本來可以讓人民有目睹百萬雄師盛況的機會，卻怕得要死，結果老百姓只好在電視上隔靴搔癢，高下立判。若能調升榆林市官員到中央，讓他們主辦下次大閱兵，則現場百姓必將喊破喉嚨，興奮到半死！

說了半天，那出現在陝西的人文奇景是什麼呢？原來是榆林市公安局榆陽分局舉行的一個「公捕大會」。

以前，只聽說過「公審大會」，這「公捕大會」顯然是新花樣，榆陽分局只不過是小市下面的一個小單位，能有這樣的創新，足證公安部門人才之出色。這

公安分局，抓捕了一百名各式人等，抓的時候當然是分頭進行，抓齊一百，集中起來，穿上一色衣服，押到廣場上，身後各配公安，列隊，多半有宣告正式逮捕的儀式，圍觀群衆過萬，盛況空前，被捕各人，自然一律向人民低頭。

此舉雖然新奇，倒也沒有忘記傳統，被捕人各在項際掛大牌子一塊，上書姓名，姓名之上，一律寫上「犯罪嫌疑人」五個大字。瞧！這就是進步了！可說是「依法治國」的典範！公安知道，雖然抓了，未經審判，仍非罪犯，所以寫明是「嫌疑人」，多麼文明，多麼進步，和以前大不相同了啊！

至於何以明知還不是罪犯，怎麼可以拉出來進行「公捕大會」，這問題對他們是怎麼說也說不清楚的，因爲他們絕不會知道，即使已定了罪，是罪犯，也不可以這樣做的！

看來「以法治國」云乎哉，路漫漫其修遠兮一太文了，即係「發夢都冇咁早」咁解。

「釣魚執法」下流之極

有所謂「釣魚執法」者，在中國大陸很常見，連上海這樣的「國際性大城市」，都屢有發生。迄今爲止，這種所謂「執法」行爲，多見於「打擊黑車」，有沒有其他方面也採用這種方法，不得而知。

所謂「黑車」，類似香港以前的「白牌車」，即沒有營業執照而收費載客。那是輕罪，值得用那麼下流的辦法來對付嗎？而且，這下流的辦法，對付的根本不是眞正的黑車，而是許多無辜的駕駛人。通常的方法是，由老弱婦孺上場，扮成有急需，要乘車。或扮有病，或扮急事，或扮迷途等等，博取司機的同情心，等他上了車，到了他同黨約定的地點，拋下「車資」下車，同黨一擁而上，抓住司機，就當抓了「黑車」，拘留罰款，任憑處置了。

這種行爲，根本是欺騙訛詐，絲毫沒有任何執法的意味，居然在號稱「依法治國」的地方，行之經年，被騙子、流氓、警方、法院聯合組成的「魚鉤」所釣到的無辜駕駛人，數以萬計。直到最近，一位駕駛人不甘被屈，憤而斬下自己的手指，表示抗議，事情才透露出來，警方始而否認，後來認錯，人們才知道有如此下流的「執法」行爲。

這種行爲之所以堪稱下流之極，是因爲它竟然利用人類可貴的同情心來行騙訛詐，同情弱者和有急需要幫助的人，是人類最可貴的感情，而這種由政府支持的行爲，被害人全是富有同情心的好心人！

這種下流行爲所造成的惡劣影響，可想而知，它打擊了人類美好的情感，使人性趨於醜惡、自私。這種下流行爲，反映出這個社會的黑暗和可怕，這樣的黑暗，就算天上多幾個太陽，也不能改變，當然更不是千萬道人造光芒可以解決的問題！

借用別人的話

近日，有兩宗新聞，畫面很懾人，兩件事都發生在中國，都和拆遷有關，都是被拆遷戶對拆遷一方的抗爭，主要人物都是女性，具體地點都在被拆建築物的屋頂。其一，抗爭者向下扔汽油彈，企圖阻止重型機械操作，結果，當然不成功。另一，更悲烈，抗爭者挺立屋頂，自焚，圍觀者衆，結果，燒死了，拆遷，順利進行，死者家人被捕。死者名唐福珍，應該記住這名字。

想就這兩件事發表一些意見，尋思竟日，難有頭緒，只好借用別人的話來表達。這人的話說在很多年之前，針對的也不是上述的兩件事，但極值得借用，請看：

「早幾年，在河南省一個地方要修飛機場，事先不給農民安排好，沒有說清

道理，就強迫人家搬家。那個庄的農民說，你拿根長棍子去撥樹上雀兒的巢，把它搞下來，雀兒也要叫幾聲。鄧小平你也有一個巢，我把你的巢搞爛了，你要不要叫幾聲？於是乎那個地方的群眾佈置了三道防綫：第一道是小孩子，第二道是婦女，第三道是男的青壯年。到那裏去測量的人都被趕走了，結果農民還是勝利了。」

「這樣的事情不少。現在，有這樣一些人，好像得了天下，就高枕無憂，可以橫行霸道了。這樣的人，群眾反對他，打石頭，打鋤頭，我看是該當，我最歡迎。而且有些時候，只有打才能解決問題。」

話說得很明白，若在上述兩件事上，他會怎麼說，倒也不妨「想當然」。這人早幾十年就能這樣說，眞是偉大。想聽他其他偉大的言論，請讀《毛澤東選集》第五卷，人民出版社一九七七年四月第一版，那是他在中共八屆二中全會上說的，時維一九五六年十一月十五日。以他言論來對照今日中國，定有所獲，保證滿意。

死都不說

在小說，或者在日常生活中，常聽到「打死我也不說」這樣的話。當然，絕對絕對大多數，都是說說而已。死，是生命中最可怕的事，連死都不怕了，還有什麼不敢說的呢？唯一的可能，是說了之後，會有比死更可怕的結果。然而，什麼結果比死更可怕？也很難想像。

當然，以上這番話，只是對普通人、一般事而言。對一些特殊人物，不適用。例如革命志士，爲了理想，生命就不算什麼了。

想說的是，一個經濟犯，原中國銀河證券公司北京營業部總經理楊彥明。這位楊先生經濟問題不小，有貪污、挪用公款等等，東窗事發，被判死刑。而在案中，有六千五百萬人民幣下落不明。辦案人員一再追問，楊先生就是不說。辦案

人員一直鍥而不捨，直到死刑立即執行的判決下來，人都要死了，還不說嗎？楊先生這才透露，去向不明的錢，是拿去行賄了。

辦案人員當然不肯放過，要追問向誰行了賄，錢到了什麼人手中？可是楊先生卻再也不肯說了。

事情發展到這一地步，十足是犯罪小說的精彩情節了。楊先生上訴，辦案人員展開心理攻勢，告訴楊，供出錢的明確去向，可望改判死緩，可以保命。這對死囚來說，是最大的誘因了，可是楊先生真的做到了死都不說。是以，那筆巨款的下落，就永遠成謎了。

若是寫小說，這錢給了誰，楊彥明爲何寧死不說，可以作多方面的設想，當然，設想必須有他不能說、不敢說的令人信服的理由。小說的題材俯拾即是，設想也可以有許多，眞要寫得好看，也很容易：楊案有什麼內情，反正群衆不明眞相，隨便怎樣設想，都沒人能說不是，除非是那收了錢的跑出來指出不對。但，會發生這種情形嗎？

怎麼獲救的？

一艘很大的中國貨船，被索馬里海盜擄劫，船上有二十五位中國船員。在海盜橫行的那片海域之中，有許多國家的軍艦在，也有兩艘中國軍艦。中國海軍威武強大，雖不足保衛南海東洋的國家領土，但對付海盜，那絕對綽綽有餘。可是不知是什麼緣故，那貨船被海盜劫持，在海上行駛了一千多公里，安然抵達海盜基地。在長程航行中，兩艘中國軍艦竟攔截不到，海盜抵達基地之後，軍艦也沒有追擊，竟默認了被擄的事實。

被擄貨船，從此音信少聞，像沒有了這件事一樣。當然，那是表面看來如此，暗中，一定有許多活動。於是，過了些日子，那貨船突然「獲救」了，由兩艘中國軍艦護送，軍艦威武如昔，船員人人無恙，國人都鬆了一口氣。

剩下來的一個小之又小，實在不是小老百姓應該問的問題是：這貨船是怎麼獲救的呢？也有記者不識趣，在正式的記者招待會上問了這個問題，當然沒有答案。中國百姓反正「不明眞相」慣了，知道規矩，不會多問。外國人不知中國特色，就開始造謠，說什麼中國付了海盜四百萬美金云云，眞是惡毒。中國付贖金給海盜？笑話！付贖金這種事，只有西方紙老虎國家才做。中國海陸空軍力量何等強大，大閱兵舉世皆見，伸一隻指頭，海盜就變灰塵，當然不會付贖金！

那麼，貨船怎麼獲救的？根本不必問，當然是因爲國家無比強大，海盜不知死活，闖了大禍，跪求貨船離開的。至於那貨船才離開，又有五名中國船員被擄，這怎麼說？嗯，不必多久，海盜也會跪求他們回國的。

眞的再要問，硬是不肯「不明眞相」，那可就是企圖顚覆社會主義了，打探國家機密了，勾結境外勢力了，是不是想去和劉曉波閒話日常？哼哼！

頭等和尾等

各類消費場合，大都有頭等和尾等之分，出錢多，享受好，大家都習以爲常，不會有什麼異議。

可是，學校呢？如果學校按學生的繳費狀況，而給以不同的待遇，是不是不可思議得很，寫在小說裏也不會有人相信？然而，「中國比小說更離奇」（鍾祖康語），確然，這樣的事發生了，網上報道：

「安徽靈璧縣一些小學被曝存在『貧富班』現象。家長交三千元錢，孩子就能享受小班待遇，教室內設置空調、彩電、DVD等教學設施，不交錢的孩子就要去擠近百人一間教室的大班。」

報道全文很長，很詳盡，不過引用這一小段也就足夠了。這種現象，就現代

文明社會的眼光來看，第一印象是怪異，第二反應是「有冇搞錯」。如果深入一點來看，就可以知道其實也很普通。也就是說，這種現象，很是普遍，這家小學只不過做得太難看一點而已。

整個問題的本質，是貧富不均社會中孩子受教育的機會不平等。社會貧富差距愈甚，天然孩子受教育的機會就愈不平等，這現象要靠社會、政府的力量來大力扳平，將不平等減到最低。若沒有這種扳平力量，將這種不平等反映到了小學，可知這社會的貧富不均已到了多麼嚴重的程度。

貧富不均，古今皆然，但古時，受教育機會，好像比現今還均等。科舉考試，不限階級出身，牛角掛書，鑿壁偷光，也不分貧富。看起來很有些今不如昔。是不是古時更重視對孩子的教育？

每看到孩子在極艱難的環境中就學，就想到一個國家的官員一年吃喝就花幾百億，拿一半來辦教育，就個個孩子都可以「小班」了吧。

怎可用「油畫標準」？

美國政府最近又發表了世界各國人權狀況的報告書，其中有關中國部分，指中國人權狀況倒退，眞是豈有此理！美國政府對中國人權狀況的說三道四，啲報告，用的是什麼標準？很明顯，用的是「油畫標準」！

什麼叫「油畫標準」？這是一個新名詞，目下好像還不十分流行，但應該推廣，所以率先使用。這名詞，源出中國外交部長在「兩會」期間的發言。部長在提到世界上有一些輿論，不以中國爲然時，提出了油畫和水墨畫，不能以同一種標準來衡量的說法。

這說法十分精闢：油畫是西方藝術，水墨畫是中國藝術，兩者標準不同，用油畫標準看水墨畫，當然看不到水墨畫中的中國特色，只看到一團糟，反之，亦

然。看，部長的譬喻何等生動地告訴了全世界：水墨畫，是沒有所謂「普世價值」的，只有中國特色。離開了中國特色，拿油畫標準來看，當然怎麼看都不會順眼。這種說法，也進一步說明，在所有問題上，例如人權問題，由於根本標準不同：要水墨畫變得像油畫，要油畫變得像水墨畫，可乎？不可也！

美國政府的人權報告，就是用油畫標準來評論水墨畫的典型，牛頭不搭馬嘴。報告中提到的西藏新疆問題，更可見對中國特色一點都不了解，只怕連新疆是怎麼來的都不知道呢！至於幾個被判刑的「企圖顛覆政府」人士，當然也是極具中國傳統人權特色，現在沒聽說有「誅九族」了，不是大大的進步嗎？怎可用「油畫標準」來說退步了？

要了解「水墨畫」，西方還要花些工夫。近例如總理才說了新聞監督政府，旋即有省長搶記者的錄音筆這種事，也要視爲正常，水墨畫嘛！

共產黨心中的法

多年前，有問當時中國法制工作負責人彭眞：「黨大還是法大？」，彭的回答是：「我也說不上來。」彭眞其實是說得上來的，不但是彭眞，事實上，每一個共產黨員，對這個問題，都說得上來。因爲這個問題，偉大的毛主席，早就有了定論。看看他一九五四年在憲法討論會上的一段發言：

「我們有不少同志，就是迷信憲法，以為憲法就是治國安邦的靈丹妙藥，企圖把黨置於憲法約束之下。我從來不相信法律，更不相信憲法，我就是要破除這種憲法迷信。國民黨有憲法，也挺當回事，還不是被我們趕到了台灣？我們黨沒有憲法，無法無天，結果不是勝利了嗎？……我們偉大光榮正確的黨也是歷來不主張制定憲法的，可是，建國後，考慮到洋人國家大都制定了憲法，以及中國知

識分子還沒有完全成為黨的馴服工具的情況，為了改造和教育人民群眾，鞏固黨的領導，還是要制定憲法的嘛。制定憲法，本質上就是否定黨的領導，在政治上是極具有害的。」

「當然啦，憲法制定是制定了，執行不執行，執行到什麼程度，還要以黨的指示為準。只有傻瓜和反黨分子才會脫離黨的領導，執行憲法。」

毛主席之所以偉大，其一是由於他說話直接、簡單、明瞭，絕不打啞謎，一聽就明白，以上那段話，清清楚楚說明了，法，在共產黨人心目中，是怎麼一回事。也就很明白在高叫「以法治國」口號下那些怪現象是怎麼發生的。更加明白何以本地共產黨嘍囉對《基本法》的曲解是如此多樣化。他們心中的法，和老百姓一樣，只是一個屁啊。

毛主席對「法」的理解，其精彩程度，也極之「水墨畫」，外交部長的言論，是很得主席精神之三昧的，大家應努力理解之。

人命大升值

不知道是不是可以稱爲是「好消息」，也不知道是不是可以稱作是一項「大進步」。事情是：中國人的人命，大大地升值呢！

從因各種各樣的形式死亡的中國人，可以向死亡事件的責任人索取賠償開始，其實已經是一種大大的進步，比死了什麼賠償都沒有進步，所以，人命的賠償額愈大，當然表示進步的狀態愈甚。也所以，人命升值，應該是好消息。

最近的人命價，是九十萬（人民幣，下同）。得到這最新高額賠償的死者，名叫陶惠西，江蘇省東海縣黃川鎮人氏。在二〇一〇年三月二十七日，陶惠西和他九十二歲的父親陶興瑤因爲抵制強拆，共同自焚，兒子燒死，父親重傷。

必須說明一下的是，強拆，是極具中國特色的一種行爲，即在業權擁有者反

對的情形下，商勾結官，或根本由官主導進行強佔私人業權的行爲。業主爲了對抗強拆，遭遇十分慘烈，有自焚的，有被推入土坑活埋的，有被打死打殘的，有被安上各種罪名捉將官裏去的，全國各地都有發生，未聞有什麼賠償的。沒賠償，理所當然，「水墨畫」，就這樣。這一單，死者獲賠九十萬，有些油畫味道，卻當然是好消息。而且，九十二歲老人傷勢極重，圖片所見，極之恐怖，可能不治，不幸死亡，當然至少也該有九十萬——進步的步伐若快速，還有可能創造人命價值新紀錄。

還有一點值得一提，當地鎭政府賠錢，當然是認了自己有過失。而這賠款，卻不是由責任人拿出來，而是從鎭政府公款中來的。鎭政府公款從何而來，自然來自人民的課稅。官員犯了錯，出了人命，賠償，用的是公款，官員有什麼損失，受到了什麼教訓？不過款項倒是眞正做到了「取之於民、用之於民」，眞值得稱頌啊。

想了解，就犯罪

日前提及，有爲了抗爭強拆而自焚的兩父子。爲反強拆而不惜以死相拚的老百姓很多，當然，若照官方慣用的邏輯，或是「水墨畫」的標準，那些死者，和十三億七千萬這個數字相比較，當眞是微不足道之極，老是提及，很是「尋釁滋事」。但還是忍不住要提，因爲這其中一位自焚抗爭者陶興瑤老人，已經九十二歲了。

九十二歲，很老很老，任何人，看到了這樣老的老人，就算沒有敬意，至少也不會眼看他要自焚而不加救援的吧。然而，老人硬是燒成重傷了。

記者了解到，這位老人，經歷過北洋軍閥，國共內戰，抗日戰爭，參加過金門戰役（按：應該會是解放軍），一生經歷，地痞流氓都遇過，槍林彈雨都經

過，在那樣艱難的環境中都活着，撐過來了，結果卻不得不在拆遷小分隊的面前，在自己的身上點起了火。

這樣的慘事，使人聯想起什麼？會不會聯想到現今的生活環境，比起他過去的九十二年的任何一年都要惡劣？如果竟不幸萌生了這樣的想法，又想探索一下究竟爲什麼會形成了一個使九十二歲老人要自焚的社會，那就更不幸了。因爲：「你如果希望了解你的祖國，你已經走上了犯罪的道路。」

這句話，當然是針對中國人說的（朝鮮也可以），說這話的是艾未未，一個不甘心做奴民的藝術家，有着做人必須有的良心。

想了解何以地震時最多倒塌的房屋是校舍的，犯罪了。想了解何以毒奶粉竟然橫行那麼久、受害人竟如此多的人，犯罪了。想了解何以自己生來就活該是奴民的人，犯罪了……

想了解，就犯罪。艾未未這句話說得眞好。要不犯罪，就要不明眞相。可是官方又屢屢指責群衆「不明眞相」，要當一個不犯罪的老百姓，太難了。

下跪、自焚和拚命

下跪、自焚、拚命，是三種不同形態的行爲，都發生在官民對峙的行爲中。也就是說，在官老爺和老百姓意見有分歧時，老百姓所採取的三種行動。

先說下跪。遼寧省莊河市，一日，有上千百姓，跪在市政府前。目的是求見市府官員，報道沒說百姓想訴求什麼，從圖片看，下跪的也不如標題所示有「上千人」，三二百人是有的。民跪求見官，官沒出來見民。這情形使人想起「六四」時學生跪在新華門前求見領導，結果也是沒有見到。那批百姓跪了多久，未見後續報道，希望下跪行爲不會變成「尋釁滋事」。

再說自焚。例子太多了，多是反抗拆遷，自焚抗爭，有個人，有父子，最近一單，一家五口自焚，一死四傷。自焚是十分激烈的抗爭行爲，從不斷發生來

看，顯然抗爭的效果不如理想。百姓自己燒自己，官老爺無關痛癢，百姓白死了。

於是有了拚命，四月八日，遼寧省撫順市高灣經濟開發區管委會副主任兼建委主任王廣良，在對拆遷戶進行強遷任務時，被拆遷戶楊義連刺七刀，當場身亡。

強行拆遷的聲勢驚人，武警公安護拆，被拆遷戶敢行兇殺官，當然沒打算活命，是眞正的拚命。

從下跪到自焚到拚命，其中是不是有什麼必然的聯繫和一定的發展規律，那需要專家來分析研究。然而可以肯定的是，如果百姓下跪，官肯出來見百姓，把事情說明白，那就不會有自焚；如果百姓自焚，當官的感到事態嚴重，注意百姓激烈抗爭的行爲，就不會有拚命。

事態已經發生到百姓拚命了。拚命，一個拚一個，百姓多還是官多？看來，收繳民間所有刀具的法規，該提到日程上來了，不然，何以安枕啊！

「父母」官

宣傳部長自殺的推理

馮翔，三十三歲，四月二十日凌晨二時，在家中以自縊方式自殺身亡。這宗自殺事件惹人注目，是由於馮翔的身分，他是中國共產黨四川省北川縣委員會宣傳部副部長。三十三歲當到了這樣的官，也並不特別。特別的是他當官的縣份：北川縣，那是去年四川大地震的重災區，馮翔副部長家中有八位親人遇害，包括他七歲的兒子。

可想而知，他在災後遭到的巨大悲痛。他若是一個好官員，悲痛就來自公、私兩方面，這種巨大的悲痛，絕不是普通人所能承受的。如果他在災後不久就自殺，那當然是由於痛苦的壓力太大，超過了人所能負擔的程度所致。然而，他的自殺，卻發生在災難的將近一年之後，而且這將近一年來，他投入救災工作，得

到好評。由此可知他自殺，另有深層的原因。

他的哥哥馮飛，說：他幾乎天天都要帶人去看廢墟，每次去都是在揭傷疤……

也就是說，災難給他帶來的傷痛，非但沒有隨着時間的過去而消退，反而是一天一天在加深，終於深到了他無法踰越的界限，他自殺了！

他在決定自殺前，在他的「博客」中，留下了相當多不是很容易了解的話，這些話，不是極熟悉他的人，不可能完全明白，當然也可以從中去分析他自殺的原因，但其實，原因已很明顯：悲痛，無法承受的悲痛！

他的兒子，不知是否在倒塌的校舍中罹難？不過他必然無數次看過那些校舍，也會明白校舍倒塌的深層原因，也深知遇難學生家長，有苦無處訴的悲慘，看着那些家長痛不欲生的慘況，不相干者尚且心酸，他是好官，自然傷痛更甚，卻又一點辦法都沒有，於是，只好自殺了。

哀哉。

陞官圖

有一種曾經很多人玩的遊戲，叫「陞官圖」，玩法有點類似後來盛行的「大富翁」。陞官圖的好玩處，有一部分來自各種各樣官職的名稱和官位的大小高低。遊戲大都以清朝的官位來作升遷貶謫，幾次玩下來，就可以對這個時期的官職有一定程度的了解。若小時候玩這遊戲，日後接觸清朝歷史，會有遇到老朋友的感覺，也算是遊戲之外的另一收穫。

忽然想起了這種遊戲，是因爲看到了一個大官的官途歷程。這大官當然是現代人，他的官位升遷極快：一九七八年入黨，二〇〇八年已經是一省的政協主席了。

雖然政協主席，誰都知道，那是一個閒職，沒有人說得上來能有什麼權，可

以做什麼事，不過名義上，地位很高，也是「方面大員」了。

（不是輕視。幾年前，有人遇事，在警崗亮出政協委員的身分，後來感歎：原來沒有什麼用。又曾有官員對政協委員嗤之以鼻，說：只不過是政協委員。如有人能舉出六十年來，有哪位政協委員主席辦成過什麼事，請不吝指教。）

這官歷任省革委會保衞組；省公安廳辦公室辦事員、副科長；省公安廳研究室副主任、主任；市公安局副局長、黨組副書記；省公安廳副廳長、廳長、黨委書記、省委常委、省委政法委書記；獲副總警監銜；省委副書記。然後不知怎地，就去了省政協當主席。

此官仕途，可說一帆風順，步步高陞，再加上那些稀奇古怪的官位（有誰能分別「黨組」和「黨委」的不同？），可用來作新陞官圖的藍本。

對了，政協主席之後，又當了什麼官？沒有了，被「雙規」了：眼看他起高樓，眼看他樓塌了。

玩完。

幾個非正常死亡的官員

近來，頗多中國各級官員非正常死亡的報道，各具特色，很能引發深思。最有意思的第一宗，發生在湖北省巴東縣三關鎮，這個地名很普通，但發生命案具體地點的名稱卻很夠瞧：雄風賓館、夢幻城。那是一個什麼樣的場所，可想而知。

就在這個夢幻城中，三個鎮招商辦的官員，包括主任鄧貴大，據報道，向一位女服務員提出特殊的服務要求，女服務員拒絕，起了爭執，也有了肢體行動，三男對一女，女服務員用一把刀，在動作中劃破鄧貴大主任的頸部，推測可能是傷及頸際大動脈，於是鄧主任嗚呼哀哉了。如果他當時正在一面「夢幻」，一面工作，不知能不能算是因公殉職？

令人感到極度意外的是那位女服務員，在娼妓遍野的神州大地上，居然還有這等可名列烈女傳的烈性女子，眞是可敬可佩！

另一宗，是夫妻同時自殺，報道沒提用什麼方法，夫名張喜武，官銜是「農業部草原監理中心主任」，也不知是多大的官，據報，自殺，是由於「經濟原因」，很奇怪，那種衙門也會有油水？可能是私人經濟問題，不涉及貪污。夫妻同死，忽然令人想起慘絕人寰，也是夫妻同時自殺的文學家傅雷夫婦，唉！

再一件，跳樓，死者是浙江省湖州市副市長倪玲妹，女，五十歲不到。湖州市說大不大，說小不小，是極爲富庶的江南好地方，歷來人物薈萃，倪副市長作爲那樣好地方的父母官，何解搞到要跳樓？報道說是因爲「家庭問題」，唉，副市長未免太想不開了！貴爲大官，還要因家庭問題跳樓？哪家沒家庭問題啊，平民婦女還要不要活？

又想到的是災區宣傳部副部長馮翔，倒覺得其死合時，不然，他不幸有良知，看了在災區舉辦的大慶典，也該嘔血而亡了吧。

身手好品格差

中國的一些基層官員，他們絕大多數是中國共產黨黨員，都有極好的身手，可是品格卻極度不敢恭維，醜態之多，日日翻新，老百姓看在眼裏，心中不齒。不知是否由於此，影響到了在香港的一些共產黨員，竟然不敢公開承認自己的身分，是恥與為伍嗎？很是高深莫測。

共官很擅於欺壓毆打老百姓，有些人為官兵開脫，說沒有看到官兵殺人過程，所以官兵有無殺人，要好好研究，這算是十分別出心裁的諂媚，有司理應有所嘉獎。而不幸，近年來出了一樣東西叫「錄像機」，普遍使用之後，很有些作用，攝下了不少可觀鏡頭。雖然很多都在事後不見了或當時恰好損壞了等等，但總有些漏出來的。例如近來看到的安徽省合肥市的官員打百姓：官員眾多，百姓

兩人，一男一女，男人民已被爲人民服務的官打倒在地，正在享受官員的腳踢服務。女人民跑過來，一官在她背後起腳，這官不知出自哪一位武林高手門下，那一腳，快若閃電，一腳踢中女人民背部，女人民應腳仆地，其餘各官擁上，各自舉腳，絕不甘後，爲人民服務的精神，眞是驚天地泣鬼神。

持續十多分鐘的記錄，勝過任何動作片中所見，那是中國人民被好好管管的實錄，只是和功夫電影不同的是，電影中高手，身手好之外，都有好品格。而在電影以外，人格墮落的底線已被突破，所以什麼行爲都有。打女人、以多打少、被打的倒地了繼續打、在背後起腳……種種下三濫行徑，全部出齊，卻打的旗號是「和諧社會」。打人的官屬於肥西縣一個鎮的計劃生育辦，推廣計劃生育的官員，要那麼好的武藝則甚？應該升官，調入武警部隊，那就人盡其才，可以更好地爲人民服務了！

副局長言

廣播電台的記者去訪問河南鄭州市城市規劃局副局長逯軍，副局長劈頭就問記者：「你準備爲黨說話，還是爲老百姓說話？」

記者的採訪結果如何，好像沒有人在意了，因爲記者將副局長的這個問題如實報道出來，將大家的注意力都吸引了過去。

副局長的這個問題確然極具吸引力，而且非常值得研究。副局長口中的「黨」，當然是中國共產黨，也就是國家憲法規定的唯一執政黨，光榮正確偉大，最近高層領導一再強調要以民爲本，從成立開始就掛出「爲人民服務」的招牌，無論從哪一方面來看，都和老百姓在同一陣線，甚至於應該親密到兩位一體的程度才對。若是如此，副局長何以會有此一問呢？

副局長這一問，明顯是將「黨」和「老百姓」分成了兩部分，而且是對立的兩部分，其對立的程度，甚至達到勢不兩立的程度，他這話肯定未經考慮，屬於衝口而出，可怕也就在這裏：那是他意識之中，牢牢認定了共產黨和老百姓處於對立地位而形成的結果。當然，若不是事實的情況確是如此，一個長期在領導崗位上工作的資深黨員，怎會有這樣的意識？

黨和老百姓處於對立地位的事實，已經可以在每天都發生的各地「群體事件」上得到證明，雖然事情已很嚴重，但還不是最嚴重，到了像副局長那樣的官，意識中已認定黨站在老百姓對立面了，那才眞正嚴重：一個和老百姓不能共存的黨，如何能成爲憲法規定的唯一執政黨呢？

副局長的話使大家起了這樣的疑問之後，當地的組織部長出來說話了，說：「這是他個人的言論自由。」

終於有了可以公開說共產黨和老百姓對立的自由了，眞好！

三煞位

最近出事的廣東省大官之中，有一個曾任廣東省公安廳廳長。那是一個重要的職位，在廣東這樣人文和地理環境都複雜無比的地方，更形重要。這個重要的位置，可以說是三煞位，若不是本身極夠分量，上位之後，總有些不可測的因素，造成不可預料的結果。

忽然有此感歎，是想到了當年，解放初期，任職廣東省公安廳長的陳泊。陳泊廳長長期擔任公安工作，在延安時期，因爲逢案必破，聲名大噪，被毛主席御封爲「延安的福爾摩斯」。這封號雖然有些不倫不類，倒也可表示他辦案能力之強。在廣東省公安廳長任上，據稱也功績彪炳。然而，不知怎地，遠在北京的公安部長羅瑞卿和他過不去，將他逮捕，同時被捕的還有其妻子呂璜和兩個孩子，

以及一直跟陳泊工作的副手陳坤一家（妻子高華和三個小孩。都是整家逮捕，恐怖絕倫。）

兩陳被控的罪名，包括「英國特務」、「中統特務集團後台」、「喪失革命立場」種種。受軍法審判，陳泊被判十年徒刑，陳坤八年。判時，陳坤已死，當然不知是怎麼死的了。陳泊案牽連被捕的廣東公安廳官員超過七百人。

一九六一年陳泊刑滿，並沒有恢復自由，仍被禁於勞改農場，一九七二年，死在勞改農場。一九八二年，陳泊平反了，追悼大會上頌辭動人。

羅瑞卿爲什麼一定要整陳泊，無人能知，更怪在陳泊被整時，完全沒人替他說一句公道話。這是一種什麼樣的黑暗和恐怖，想像力再好，都難以想像。

找出陳年舊事來說，是想提醒當下努力賣身投靠的一些懵佬：這共營的差，是難當得很的啊！

果然，後來羅瑞卿貴爲大將，一樣也被整了，是天理循環嗎？

指導意見天下奇聞

「北京市第一中院日前正式推出《關於規範刑事審判中刑事和解工作的若干指導意見》，該院副院長陳銳指，刑事案中雙方自願和解，被告自願認罪的，法院在量刑時就可對被告從輕處罰或免予處罰。」

上述新聞，被民衆在網上評爲「天下奇聞」。確然，很具令人瞠目結舌的效果。這種「指導意見」，說得明白些，就是有錢有勢的犯罪人，可以用錢或勢來免罪。以前，也或許有用財勢逃罪的事實，但也總是偷偷摸摸，在暗中進行，見不得光。現在好了，有了這樣的指導意見，可以公然進行了。全世界大約只有中國可以這樣做，中國特色，太偉大了。

刑事審判，若照世界慣例，或黨中央一再指示的「依法治國」，只要照法律

辦案就可以了，根本不需要什麼指導意見。出爐一個指導意見，已經夠中國特色的了，而且還是這樣的一種指導，眞不知道說什麼好了。

還是有一些可說的，那是要爲胡斌叫屈。胡斌何許人也？是一名富家子，二十歲，喜飛車，光天化日，在杭州鬧市超速飛車，在行人線上撞死了人。事情全國轟動（同類事太多，情節都惡劣無比）。胡父母有錢，賠了死者家人一百一十三萬人民幣。胡斌又被判三年徒刑。

胡斌判刑之後不到一個月，就有這樣的「指導意見」出爐，只要指導意見早出爐一個月，胡斌就完全可合乎「可免於處罰」的條件，逍遙法外了。雖然如此，還是提議胡斌趕快上訴，依據那指導意見，脫罪希望在九成之上！

題外話是，胡斌受審時有他在被告席的照片，一公布，見者大嘩，認爲那受審的（也等於要去服刑的）根本不是胡斌，而是替身。這眞是中國比小說更離奇了。胡斌和所謂替身的照片，網上都可找到，有興趣，不妨找來對比一下，作個人判斷。

文明辦的示範

中國基層官銜名目繁多，有許多「辦」。「辦」者，辦事處之簡稱也。「辦」管的範圍極廣，幾乎所有民生事宜，都各有一「辦」該管。如負責管生孩子的，是計劃生育辦事處，簡稱「計生辦」。一般來說，都能顧名思義，知道這辦事處是管什麼的。其中最不可思議的是「文明辦」了。

這「文明辦」的全名不知是什麼，也不確知它該管何事，以老百姓的立場來推測，它應該是推廣文明行爲，教化百姓講文明，老百姓欠文明教育，「文明辦」就有工作做了。

然而，在新聞錄影中看到，安徽蚌埠文明辦的一個副主任，大名司岩廣的，據稱是酒後，大鬧一家酒店大堂，拳打男工胸膛，腳踢女人背心，功夫奇佳，勇

猛絕倫，這算是文明辦副主任的文明示範嗎？

上次，曾論及幾個計生辦官員，對女人拳打腳踢的英勇行爲，認爲大才小用，應該調入武警部隊，看來，中國武警部隊的兵源絕無問題，連文明辦副主任都可獨當一面。有了這樣的武警，群衆別說不明眞相，就算明了眞相，還不是拳腳一出，打得你服服貼貼！

文明辦副主任打了人，不算出奇，奇的是打了人之後，若無其事，還可以大模大樣在辦公室見記者，絲毫不見羞愧之容，對這種宣揚文明行爲的方式，並沒有覺得什麼不對，只是輕描淡寫，當是閒事一樁。看到的只是記者一臉愕然，當然記者也不會深究，不怕文明拳腳乎？

有這樣野獸行爲的文明辦副主任，只好寄以萬一希望：他不是共產黨員：共產黨是聲稱愛人民、是爲人民服務的，是要以民爲本的，對人民拳打腳踢，將人民當沙包，展示中國特色文明，勇則勇矣，只是，好像，總有那麼一點不對頭一不知道這樣說，會不會被當作泄漏國家機密？

巨型經濟問題犯者

這「巨型經濟問題犯者」是杜撰名詞，十分累贅，也不通。本來，「巨貪」二字就可。但最近有一位這樣的人士，涉及的金錢問題以億計，若是貪污，早就應該去見了馬克斯，而他沒有被判立即死刑。他自己也不怎麼承認貪污，認爲錢是人家給的，他收了錢做事，大家獲利，雙方得益，收不收錢都一樣做，不收白不收，這就是新時代的新問題，只好另創新名詞了。

其人值得一提之事極多。八卦有趣的是他和人共享情婦（這「享」字可圈可點），豪氣的有他的金句：不會花錢怎麼賺錢？（據說他一天花四萬元，立即想到的是當年清算劉少奇，說他一天要吃一隻雞。一天四萬元？多乎哉？不多也！好像還不夠豪華場所一小時的花費。）東窗事發，他想外逃，卻慢了一步，不知

是什麼地方出了差錯，成爲懸疑了。

其人相貌不十分貪相，和一般貪官有別。或許是由於他後來轉職到了「商界」，所以歸入了所謂「中資企業」這一邊，有些像大商人，也或許一到了這個位置上，他眞的以爲自己是企業家，以爲那企業是他的了，所以才以爲可以任意使用企業資金了。那些「中乜乜」、「中物物」的董事長總經理什麼的，最容易產生這樣的錯覺，和私人企業的高層站在一起，聽幾句恭維話，乾兩杯香檳酒，看看大家身上西裝樣子差不多，以爲眞是那麼一回事了。直到「雙規」臨頭，才知道自己是什麼東西，於是一場春夢。

此人姓陳名同海，曾任寧波市長多年，出事前是超大企業「中石化」董事長。在香港肯定熟人極多，就算未到「共享情婦」這一級，探望一下的交情總該有，或者還曾「互利」過，有點人情味，去探望探望吧。

情婦反腐軍

情婦，即姘頭，本來是大小官員貪腐生涯中的一環，根據統計數字來看，幾乎不可或缺。但是世事無絕對，在反貪腐行動中，情婦卻又起了巨大的正面作用，在反腐行動中屢立奇功。民間為表揚貪腐官員情婦的「反戈一擊」式的功動，將之列入反腐大軍的重要組成部分。雖然還沒有正式番號，但情婦反腐軍倒已深入民心，成為中國特色中的特色了。

（統計近十年被查處的四十一名省部級高官中，有三十六名擁有情婦，佔百分之八十七點八。中下級官員被查處的太多，已無法統計。擁有情婦的比例，和官位高低並無關聯，那個有一百三十多個情婦的，中級官員而已。所以說貪腐官員絕大多數有情婦，是事實，不冤枉。）

由情婦出頭爆料，導致貪腐官員暴露的實例極多。情婦，本受貪官蓄養，何以反而要拉貪官下馬，其中故事，很有趣味。如陝西原政協副主席龐家鈺，被十一名情婦聯名向中紀委控告，是他特寵第十二名，才得罪了那十一位嗎？當眞匪夷所思至於極點。而廣西壯族自治區原副主席孫瑜，長期養情婦四人，由於沒安撫好其中一名的丈夫，被告發了，獄中總結經驗，應該後悔爲啥找個有老公的女人吧。原海軍副司令王守業，也衰在情婦之手，他的情婦們多爲軍隊文工團中的美女，被她們集體告狀而下馬。原人大常委會副委員長（好大的官）成克杰，情婦李平自首立功，供出一切，成副委員長飲恨刑場，堪稱典型。

種種花款，比小說更離奇，都很精彩，宜寫入建國六十年貪官大傳之中，其中包含的人情世故、世態炎涼、男女情仇、無恥惡行等等，足以反映六十年來的國情官風，眞期盼有大手筆著錄成冊，必爲不朽巨著。

誰是最高保護傘

中國四大中央直轄市之一重慶，不久前官位有變，舊官調走，新官上任。常言道：新官上任三把火。這新官上任後有些新措施，本來也不足爲奇。而這位新官的動作極大，一上任，就全力對付掃蕩重慶的黑社會分子。不掃蕩不知道，一掃蕩，才知道重慶市，原來簡直就是黑社會的天下。抓出來有名有姓的黑社會分子，就超過兩千人，其中有許多人大代表、政協委員、集團總裁、公司老總……都已經混進了社會高層，盤踞高位，在那裏實現「有中國特色的社會主義」。

這一大批黑社會分子據稱無惡不作，如今一串串被抓了起來，當然大快人心。而老百姓要問的是：長期以來，重慶不是屬於共產黨管轄的嗎？怎麼會成了黑社會的天下了呢？原來，黑社會在重慶，有保護傘，保護傘是在重慶先任公安

局長，後任司法局長的大官，姓文名強。

這個文強，也被抓起來了，玉照公布，絕對貪官典型，和深圳前市長竟有八成相似。可知「相由心生」的說法並非唯心，很是唯物。這位文強大人保護黑社會，大貪特貪，錢多到要用油布包了沉埋在魚塘，家中寶貝之多，可開博物館，別墅佔地數十畝，說不盡的榮華富貴。

文強在重慶作惡犯罪，不是一天兩天，有目共睹，他能夠爲所欲爲，是誰在保護他？文強當然是共產黨員，重慶黨組織到哪裏去了？有保護傘在保護他，他才能保護全重慶的黑社會。這「保護文強的」雖然呼之欲出，但未見有任何追究，估計已經達到「不可追究」的那一級了。若是再進一步追問：保護「保護文強的」又是什麼力量和什麼人？

大家自己去猜，猜了，最好別說出來，這是「愛國」的起碼條件。

中級黨官頻頻意外死亡

可能是由於資訊傳播發達的緣故，一些以前不常見到的消息，容易傳播了。也或許是這類事近來眞的發生多了，所以三天兩頭就有一宗。說的事是，中國的中級黨官，頻頻死於意外。不必查資料，單憑看過記得的，自浙江湖州市那位倪副市長（女）跳樓之後，就又有了多宗。

最近的一單是湖南省武岡市常務副市長楊寬生，自樓上跌下死亡。有關方面說是自殺，沒說爲什麼。家族非常不同意，說死者身上有多處傷痕，背後還有手印等等，極之離奇。

又有黑龍江省海倫市人民法院常務副院長楊慧新，也是墮樓死亡。再有安徽省安慶市商務局長周新，怪哉，又是墮樓死亡。又有蘭州國稅局副處長馬蘭芳，

還是墮樓！黑龍江省鶴崗市交通局長死得壯烈，是遇刺身亡的；還有一位黨委書記沈浩，酗酒而死，很爽。

那些意外死亡事件之中，除非是明確知道死因的之外，有關方面都將之定性爲「自殺」。對一些人來說，定爲自殺，乾手淨腳，毋須追查，但對死者來說，卻極不公平。黨官自殺，是對黨對人民犯下大罪行的表現。從早年的中央人民政府副主席高崗自殺起，一律定性爲「自絕於人民」，高崗副主席的定性，至今未曾翻案，可知性質之嚴重，怎可隨隨便便，就把意外死亡的黨官定性爲自殺呢？當然，若是因此而遮瞞了什麼殺人滅口的事實，那就更嚴重了。

有很多這類「自殺」，由於民間無法知曉實情，所以諸多猜測懷疑，像當年北京市副市長王寶森在郊外別墅以手槍「自殺」，這樣的大人物之死，也充滿了神秘，就是由於人們只知道王副市長死了，當局說自殺，就此定論，誰也不准再說什麼，這樣子，和一口咬定「不存在豆腐渣工程」一樣，難堵天下悠悠之口啊。

當官員貪污變成光榮

貪官，古今中外都有。「千里爲官只爲財」、「做官的利息總比做生意好」、「三年清知府，十萬雪花銀」等等講貪官的語句，多至不可勝數。有意思的是，社會一直不齒官員的貪污行爲，貪官是公認的下流人物，無恥賤格，叫人鄙棄。所以，貪官大都偷偷摸摸、鬼鬼祟祟，遮遮掩掩，不會公然展現他貪來的財產。

可能是時代進步了，現在貪官，大不相同，競相以炫耀貪來的財富爲時尚。

例如：江蘇連雲港花果山漁灣風景區東側山澗，出現兩扇大鐵門把守的二千平米豪華大院，主人是連雲港政法委副書記孫燦。網友質疑，在連雲港這個蘇北經濟欠發達的地級市，一個政法委副書記，大肆圈地建別墅，實在是太張狂。據

悉，連雲港市紀委已介入調查。

這種情形極普遍，還有花巨資造祖墳的，唯恐他人不知他擁有龐大財富，也唯恐人家不知道他是貪官，眞是奇怪。形成這種奇怪現象的原因，想來想去，只有一個，那就是：貪污已經成爲一種光榮行爲了，非但不必掩飾，且要大肆張揚，可以光宗耀祖了。雖說根據最起碼的道德觀，都萬無此理，但除此之外，還有什麼別的可能呢？

都說官員貪污無法杜絕，是。但有一法可有效減少，就是官員財產公布，立「財富與收入不相稱」就有罪這條法律。也就是香港實施了多年的那條法律。（有官員一聽到要公布財產，竟理直氣壯反責：老百姓財產爲什麼不先公布？素質之高，得未曾見。）只是不知道在中國，此法立後，是不是還能找到官員來執行耳。

蠢貪官自嘆

葉樹養，貪官（已定案），而且蠢，是一個蠢貪官（由以下事實說明）。他最後的官位是：廣東省韶關市公安局長、公安局黨委書記，集當地公安機構黨政大權於一身。韶關雖然不是什麼富地方，但從已知的貪官出處來看，公安機構，是五大貪官淵藪之一，尤其是山高皇帝遠的小地方，當公安局長，正是大大的肥缺。這位葉局長當然不會辜負了這個好職位，於是大貪特貪，已查到的貪污數字，近億，全是現鈔。

這就說到葉前局長之蠢了。那幾千萬鈔票，他用了六個大保險箱來存放。保險箱的質量不怎麼好，打開來時，很多鈔票都長了毛，發霉了（鈔票上的毛主席長毛，奇觀）。電視新聞上所見（廣州珠江電視節目），一綑綑的鈔票，堆積如

山，看了令人流口水，心生當貪官之念。

葉前局長深受鈔票太多之困擾，面對鏡頭，大嘆有錢不能暢着懷花用之苦，有錢不用，那比沒錢更痛苦，所以很值得同情。然而想到他的痛苦由於他太蠢了，所以又不值得同情了。

他蠢在只會貪，卻不會處理貪來的錢！要處理大批鈔票，實情一定十分容易，不然，何以外逃貪官，能帶走萬億巨款，人貪你貪，何以人家能把錢運轉出去，你卻讓錢在家裏發毛？除了說明實在太笨之外，還能說明什麼？人家早進步到安排子女妻子情婦先帶錢出國，自己留着繼續貪了（實踐證明，妻子比情婦可靠），葉前局長何以如此跟不上時代腳步？

不過他還不算太蠢，四川還有貪官將鈔票埋在水塘底的呢。看來，出一本書，教貪官如何處理貪來的錢，此其時矣。

這書一出，貪官必讀，銷路如何，白癡都算得出也。

陳年舊事

常言道：人是做到老、學到老，真是一點不錯。近日，又學到了一句話的應用。那句話，叫「陳年舊事」。傳授這句話用法的，是一位相貌堂堂的中國官員，職位是發言人什麼的。很特別，這發言人和別的發言人那種面口，有點不同，看了不必加衣。

話說一個國際什麼組織，查出當年悉尼奧運，有一個中國體操女選手，隱瞞了真實年齡，未滿十六歲，冒充足十六歲去參賽，得了獎牌。事隔十年，查出來了，要收回獎牌云云。

年齡不足，誇大冒充，屬於「假、大、空」範疇內的事，這一類事，中國特色之極，凡我同胞，明白國情的，早已習慣，屬於典型「水墨畫」，國家經濟年

年保八，全世界一枝獨秀，洋鬼子的行爲，分明是尋釁滋事之尤，記者存心不良，想中國出醜，追問有關方面，結果自討沒趣，得到了那是「陳年舊事」的回答。

這回答，當然有潛台詞。沒有說出來的是，陳年舊事，提來作什？又或進一步：提陳年舊事，是何居心？等等等等，由你自去思索理解。

這位官員的這個回答，極之精彩，其人可以升官，獨當一面，應付一切責難。校舍豆腐渣工程？那是陳年舊事。六四殺百姓？陳年舊事！幾千萬中國人餓死？更是陳之又陳，舊之又舊……以此類推，這句話可以應付任何問題，簡直是萬應靈丹，此說大流行可期，造福爲非作歹、弄虛作假，功德無量！

只是不知道這個說法，在法庭上是否能起作用？若能，一干各式罪犯都說控罪所言是陳年舊事，法官非發瘋不可。還有，賴昌星先生也不必再賴在加拿大了，趕快回國去，放心，沒事兒。閣下涉及的遠華案，比悉尼奧運，陳多舊多了，誰追究，告訴他：那是陳年舊事！

香江奇情

爲何要玩炸藥

都說中學生玩炸藥玩出禍是「好奇、貪玩」，而忽略了這個「玩」，是犯法的。必須先肯定是犯法行爲，然後再從年輕、無知、貪玩、好奇等等方面來向法官求情，求從輕發落，才是道理。若企圖用好奇貪玩來掩蓋犯法的事實，那是顛倒黑白、是非不分。

世上好玩的事物極多，不幸的是，其中許多遭法律禁止，不讓玩，使好玩的大人小孩搥胸頓足，愈是法律不准玩，愈是想玩。許多犯法事件，由此產生，能否全憑「貪玩」辯解，當然不能。

好玩的事物，對貪玩的人有很大的吸引力，有時甚至難以抗拒，要有很大的自制力才能抵抗引誘。或許有人會認爲炸藥好玩，實在無法認同：炸藥，有什麼

好玩呢？玩炸藥，當然目的是要看炸藥爆炸，而炸藥爆炸的唯一結果，是造成破壞。拆除大型建築物時進行的定向爆炸，算是最有「建設性」的了，也還是一種破壞。從普通人的觀點來看，喜歡玩炸藥的人心理是從破壞中得到樂趣，不知道心理學家的專家意見如何？玩炸藥事件很轟動，心理學家請多向常人進行知識灌輸。

因爲這種愛看破壞的心理，十分可怕，已經脫離了「玩」的範圍之外。玩，應該有一個原則，就是不傷害他人，不傷害自己。不然，就不能歸入玩的範圍之內。更簡單地說：玩，不能犯法！

很想不明白：若不是爲了看炸藥造成的破壞，點解要玩炸藥？那天，聽到了一個更有趣的問題，性質相同，但可供聯想的範圍極廣，可以說集幽默和黑色幽默之大成。

那問題是：香港都回歸祖國那麼多年了，爲什麼還要玩炸藥？

你說呢？

還有，玩炸藥少年受了什麼懲罰，怎麼沒有下文了？

不會有第二權力中心

近來，忽聞害怕出現「第二權力中心」之聲。

想到了「與虎謀皮」這句成語，那據說是從「與狐謀皮」轉化而來。但稍爲深究一下，就可以知道這兩句話的含義，其實很有分別。與狐謀皮者，是傻佬：狐一聽到要牠的皮就逃走了。傻佬雖無所得，倒也別無損失。可是與虎謀皮，就大不相同。虎，兇猛，能吃人。你要謀牠的皮？哈哈！所以與虎謀皮者，是超級傻佬。

另有一種人，比超級傻佬更甚，明明知道老虎的那一身皮，是牠的根本，絕不會給人的：一點點都不會，那怕是在極不重要處的一小塊，也決無給人之理。然而，當老虎忽然許下諾言，說是給出一塊皮來，任由綴帽飾鞋，這種人大樂，

歡欣鼓舞，信了，當眞信了，那麼，在層次上，這種人已超越了超級傻佬，只合稱之爲懵佬。

懵佬相信老虎會給出皮來，也還罷了。偏偏懵上心口，在老虎遲遲不將皮拿出來，而且一再擺明了不會拿出來，更已高明地吞吃懵佬的時候，可愛的懵佬還在向老虎索取他認爲老虎答應了給他、他應得的一塊皮。

老虎當然聰明，先餵了痳藥，再自腳部起吞噬——若是一開始就噬頭，倒也快速完事。於是，就出現了世界奇觀：懵佬的下半身已經進了虎口，口中兀自在叫嚷：答應給的皮呢？

會有人不耐煩了：究竟想說什麼？太文不對題了吧！

想說的，就是，虎，從來也沒有將皮拿出來的意思，還不明白？只好說白了：不必擔心，從來、絕對、不會出現第二權力中心，權力中心從來就只有一個，就如虎皮全在老虎身上，別說皮，連毛都不會少。害怕出現第二權力中心的懵佬，醒醒吧！

這就叫作口是心非

特首說他對「六四」的看法代表了「整體香港人」，遭到了很大的反彈。這話，當然說錯了，即使他是全民普選出來的，這樣說也不對，除非他得到百分百的選票。

說錯了話，大大方方認錯道歉就是，也不是什麼大事，人人還是可以就「六四」發表自己的看法，不至於一錘定音，只有特首說，沒有別人說的了。特首也確然有了更正，可是他在說明的時候，又講了一些話，聽了卻莫測高深之至。

他說：他說的，並不是他心中所想的；心中所想的，和說的不同。

噫！這話好教人糊塗，照他所說的那種情形，就叫作「口是心非」，或叫作「心口不一」，都是一種形容人類負面行爲的說詞，很少會有人這樣形容自己，

都是攻擊他人的言詞。特首沒有道理自己貶自己是口是心非之人，那麼他究竟想說明什麼呢？很期待他有進一步說明，可是很多天過去了，沒有等到。於是，雖然疑惑，也只好接受了他自己的說法：他口是心非。

但接受了，仍然不能釋疑，還有問題：特首是在這單一事件上口是心非呢，還是在其他事件上也是？以後，聽他發言，又怎樣辨別他說的是不是他心中所想的？又有什麼方法知道他心中在想些啥？

人類互相溝通，用的是間接溝通法，無人可知他人心中想的是什麼，只能聽他說的是什麼。一個口是心非的人，所說的話必然沒說服力，特首如此，草民何以自處？譬如說：特首大人，你對「六四」的看法，口中所說的我們都聽到了，你心中所想的究竟怎樣啊？

大人物心口不一，也有好處，至少他心中大怒，想將刁民打五十大板，號枷三月，口中是不會講出來的！草民也就得保安全了。

怕什麼呢？

香港高官被問到對「六四」的觀感，高官迴避不答，問的人表情帶三分蠱惑，選擇了不回答的高官神情木然，即俗稱「撲克面孔」。從電視畫面上看到了這種情景，自然覺得娛樂性豐富，大笑良久，延年益壽。

因爲有人就「六四」發言而受抨擊於先，所以問的人，很有「不懷好意」之心，避而不答，是一個應付之法，只惜不高明。因爲任何人對任何事，都應該有自己的看法。何況高官學養過人，「六四」又是震驚世界的大事，怎麼可能沒有看法呢？所以，旁觀者就自然而然想到，高官迴避問題，不是因爲他沒有答案，而是他不把答案說出來。

這就更有趣了：爲什麼不說？怕什麼呢？據稱香港自回歸祖國以來，言論自

由空前，有什麼不能說的呢？高官不說，看來高深莫測，其實普通人也很明白。都知道，這問題實在很容易回答，端視你站在什麼立場。特首不久前才有宏論，照說一遍，補充一句「那是個人意見，不代表整體香港人」就可以了。個人意見非但可以說不必再追究「六四」了，也可以說「六四」全怪學生。也更可以說死難學生全是看到子彈飛過來的時候自己撲過去的，說學生看到了坦克車，自己硬擠到坦克車下面去的。只要說明那是個人意見，人人都有言論自由，個人立場如此，可以愛怎麼認為就怎麼說，直截了當，清楚明白，誰也不能將你怎麼樣，人家至多就不同立場發表不同意見而已，有什麼可怕的？何至於什麼也不敢說了呢？

若以為什麼都不說就可以明哲保身，那就太不懂人情世故了。不說，上頭一定以為是怕得罪他而不說，百姓則以為是怕遭群眾罵而不說，兩頭不討好，那是最低能的處理方法。

大膽把心中所想說出來吧，「你們怕什麼？」

過時說靚模

「過時」，指本文見報之日，今年書展，早已閉幕。而靚模成爲話題，因書展而生，所以過時。但靚模出書，蔚成風氣，顯然方興未艾，還大大有「發展空間」，也所以，現在拿來說說，都不算過時。

靚模一詞，那個「靚」字，很有講究，本文用的是別字，通用的有「口」旁，卻又用「o」字替代，形成絕對香港特色的怪字，頗饒奇趣。這靚字一加口旁，讀音和意義都不同於靚，含意十分豐富，多種用途，不諳粵語，難以盡明，大體是略有貶意，卻又未至有惡意。特意不用，而稱爲靚模，是因爲她們確然極靚，個個都是美少女，不但容貌出衆，身材標靑，而且靑春明艷，看了令人賞心悅目，眞正當得起那個「靚」字！

這樣的美少女，在衣著上自然不可以將上帝傑作抹煞，而要多多展示，就算不著寸縷，盡展所長，也合古人「露父母清白之軀」的意念，放在書展之中，其好看程度，絕對高於衞斯理小說，幾乎可以和金庸小說等量齊觀，大大替書展增光。

可是世上事，無奇不有。這樣的好事，竟然也有人反對，大聲疾呼要將靚模寫眞趕出書展。眞是奇怪了，若是不喜歡，不看不買，直行直過就是，爲什麼你不喜歡就要趕人走？你不喜歡，自有人喜歡，你喜歡的，也自有人不喜歡，難道也將你喜歡的趕走？這樣趕走來趕走去，書展還開來作什？

反對靚模入書展的人，其實心中很明白，知道有很多人喜歡寫眞集，這正是他們反對的理由：沒有能力和靚模爭讀者，就歪門邪道地想封殺，結果起的自然只是反作用。一衆美少女在縱聲嬉笑之餘，少不免舉起「V」字手勢，跳躍舞動，齊聲高叫「耶」，閃亮的青春光芒，雖然只是一刹，但這刹那，足以和日月同輝。

點解認為是抹黑？

有一位先生，姑且稱他爲A先生，被人懷疑他是中國共產黨黨員，他的反應是跳起來叫：懷疑他的人，有意抹黑他。

這樣的反應，怪之極矣！所謂「抹黑」，是指將一個人沒有做過的壞事，硬加在那個人頭上，這才叫抹黑。請注意，必須是壞事，才叫抹黑。若是好事，例如將一個人稱爲大慈善家，不論這人是與不是，都不能算是抹黑了這個人。這道理再簡單不過了。所以，A先生一被人指爲可能是共產黨員，就大叫被抹黑，這反應就極怪。

之所以會有這樣的反應，唯一的原因，只會是他心目中，認定了做共產黨員是壞事，就算不是大壞事，也一定是小壞事或中壞事，和嫖幼女，貪公帑差不

多，這才會叫屈，覺得被抹黑了。除了這個原因，想不出第二個原因來。

然而，那就使事情更怪異了。因爲，不論從哪一個角度來看，當中國共產黨黨員，都不應該是壞事啊！雖然有不少共產黨員幹了不少令全人類都蒙羞的壞事，但那也絕不能理解爲共產黨員就是個污名，和強姦犯類似，一被人當作共產黨員，就跳起來說被抹黑。

中國共產黨是中國憲法規定的唯一永久執政黨（斗膽加上「永久」二字），偉、光、正，知道八榮八恥，站出來在國際各界代表中國呼風喚雨的大人物，無一不是共產黨員，那是光宗耀祖的身分，就算不是共產黨員而被人當作是，也應該心中竊喜，來個笑而不答，那就正常了。

如今A先生有這樣異常反應，說明他對中國共產黨不但毫無認識，而且有極反面的理解，從他身上，可以看出，早些日子中央大員指示要在香港壯大愛國力量，眞是英明。至少，要人人感到被人當作共產黨員，不是抹黑，那才會有愛國力量的產生啊。

可能會有什麼後果？

A先生被人懷疑是共產黨員，立刻指人抹黑他。A先生這種行爲，會產生什麼樣的後果呢？

首先，A先生以爲他捱了罵，「共產黨員」是罵人的話，是用來抹黑他人的。雖然大家都知道這樣想沒有道理，只是A先生的一人之見。可是A先生是一個有影響力、至少他自己認爲有影響力的人物，他的想法，就有可能擴散開去，那就大件事矣。

詈罵之詞，本就沒有道理可講，全靠使用者的流傳。例如中國國罵之一「王八蛋」，就沒道理得很。王八蛋，是鱉的卵，是鱉這種生物生命的一個過程，怎麼會變成罵人話的？凡事都有開始，「王八蛋」之成爲罵人話，當然也有開始。

開始時，甲忽然罵乙王八蛋，乙如果不當一回事，王八蛋這句話，也就銷聲匿迹，不會流傳。可是乙卻勃然大怒，認爲被抹黑了，一再稱辯他不但不是王八蛋，而且什麼蛋都不是。這種反應，會令人恍然大悟：原來王八的蛋，可以抹黑人，久而久之，「王八蛋」就晉身國罵了，被叫王八蛋的人，條件反射，也就一聽就認爲被抹黑了。

這只不過是一個例子，當然不是說久而久之，「共產黨員」一詞可以和「王八蛋」並列，但有影響力人物確然如此反應，而人民大衆，一來處身於愛國力量不夠壯大的環境之中，二來又照例「不明眞相」，三來看到大人物反應激烈，也就大有可能，以爲說人是共產黨員就是抹黑該人，條件反射一旦形成，那就很可能產生語詞新解。像現今，如果說人「全家都是踢國足的」（國家足球隊），就相當於罵人全家都是王八蛋那樣，會不會有一天，說人「全家都是共產黨員」，「全國七千萬共產黨員」，就等於說……

不能再分析下去了，再分析，就泄露國家機密了哇！

正確態度應該這樣

一般來說，普通人，是不會被懷疑疑似共產黨員的。誰會懷疑沖奶茶的阿哥是不是共產黨員？被懷疑的人士，必然有番咁上下分量；或至少不斷竄上跳下，將自己裝扮成有分量；又或已經有官職；再或努力在謀官職。總之，行爲叫人看起來就像是共產黨員，這才會被人懷疑。

所以，一旦被懷疑，正確的態度應該怎樣，就十分重要，事關對共產黨的認識和評價，對其人今後的前途有極大關連，提供一些教材，供一干被疑似共產黨員人士學習。

首先，當然先看事實。是不是共產黨員？若是，唯一的做法是學樣板戲中的阿慶嫂，大聲承認：我是中國共產黨黨員！氣壯山河，聲吞日月。這一回答，足

以使愛國力量登時壯大六十九巴仙，要堂堂正正，不要鬼鬼祟祟，這才是眞正的共產黨員，而不是混入黨內的投機分子。

若眞的不是共產黨員呢？當然實事求是，先要否認，接下來的表現很重要，一定要眞心感到榮幸，因爲居然被懷疑是共產黨員了啊，可見自己的表現是多麼突出，共產黨員由特殊材料製成，被疑似，雖不中亦不遠矣，何等光榮！被人懷疑是什麼，都及不上被懷疑是共產黨員。有朝一日懷疑成眞，到時進入統治結構，高官有望，贓產有份，美女如雲，華宅遍地，盼就盼的這一天，當向懷疑他是共產黨員者叩頭謝恩啊。

一被懷疑是共產黨員，這樣的好事，理當表現大喜若狂，如中六合多寶，歡欣鼓舞，像摟九天仙女。這樣，看在黨的眼裏，自然會覺得這小子孺子可教，以當共產黨員爲榮，說不定不待申請就主動吸收入黨了。

以上教材，只是原則，應用起來當然有變化，但原則絕不會變。至於反面教材，絕不可學的，A先生已有示範，不必多說了。

壯大愛國力量之方法

中央大員蒞臨，指示：要壯大愛國力量。一干老愛國、新愛國、忽然愛國聽了，居然反應正常，不知羞愧，眞有本事。中央大員的訓示很有技巧，十分客氣，不愧是統戰高人。可惜高人遇上了一衆懵佬，竟然沒聽明大員的話中話，眞是枉費了大員保留他們面子的一番苦心！

大員說要壯大愛國力量的話中話是什麼？當然是說如今愛國力量不夠壯大。如今何以愛國力量不夠壯大，當然是如今在愛國的那批老愛國、新愛國、忽然愛國不夠愛國，或至少只知自己愛國，而沒有將愛國力量努力擴展開去，所以才使得愛國力量大大不足。

回歸，已十二年矣。就算是回歸夜呱呱墮地的，也十二歲了，很可以當紅衛

兵了，可以鬥父母；可以打校長；可以打砸搶、誓死保衞胡主席；可以燒掠抄，堅決擁護溫總理，都應該是愛國力量的大泉源，何至於到今時今日，還要壯大愛國力量？

愛國是何等高尚的情操，一人愛國，全家光榮，一人愛國，萬人敬仰學習，早就應該愛國遍地，不必再壯大了。由此可知，這十二年來，一干老愛國、新愛國、忽然愛國，簡直根本沒有眞的愛國。所以發揮不了影響力，以致愛國力量不夠壯大。

還有，十二年來致力推動愛國的大小官員，明顯失責。工作了十二年之久，愛國力量仍未能令中央大員滿意，還要他們幹什麼，繼續延誤愛國十二年嗎？

所以，要壯大愛國力量，第一步，必須將現有的老愛國、新愛國、忽然愛國當成舊電池，一概抛棄，另覓全新愛國力量。再將一衆推動愛國不力的官員雙規，追究他們爲何失責的深層原因。如此，多則一年，少則半載，愛國力量必然壯大無比，至少大員再臨，可以滿意哉。

再論如何壯大愛國力量

要壯大愛國力量，必先棄舊迎新。棄舊容易，迎新難。新血哪裏來？當然靠祖國！多年來，有一句反動口號（至少是不愛國），叫作「背靠祖國」。聽聽，這話多反動，背靠，那是什麼身體語言？爲什麼不面向？連面對都不敢，如何愛國？

所以，要壯大愛國力量，必須大換血，從祖國換大量愛國新血，愛國新肉進來，從此和祖國血肉相聯，想不愛國也不可能了。尤其是愛國新肉，深受歡迎，每見一大串新肉成爲掃黃犧牲品，街頭必有愛國痲甩嘆可惜，大大影響愛國情懷，必須立即停止。

換血換肉之餘，最重要的當然是教育了！回歸之初，努力推行的「母語教

育」，本來極好，可惜的是推行者弄錯了根本的一點，以致恨錯難返，以失敗告終！

錯在何處？錯在將「母語」解釋爲廣東話，以爲廣東話就是母語。這錯誤簡直罪無可恕，若非有這個大錯誤，愛國力量早已壯大無匹矣。

「母語」不是廣東話，是普通話麼？當然也不是，母語教育，所使用的母語，是：愛國話！

什麼是「愛國話」，其實人人都不陌生。「做鬼也幸福」就是愛國話的典型，其他，例如群衆必然不明眞相，政權一定正確偉大，等等等等，都有一定套路，自成一種語言系統，若一早使用這種愛國話作母語，教育三年，可朗朗上口，五載，可了然於胸，十年，人人心領神會，中央大員蒞臨，必有百萬以上人民，夾道歡呼，大員想不笑都幾難，自然感到愛國力量已夠壯大了。

「悟以往之不諫，知來者之可追」，坐言起行，急聘那位寫得出「做鬼也幸福」那樣千古絕句的作者來當教育局長，重新推行母語教育，則愛國力量，指日壯大矣。

愛國必須用行動表達

愛國，不是空口說白話；愛國，不是請客加吃飯；愛國，必須用行動來表達。所以，要壯大愛國力量，必須要有愛國行動，有了愛國行動，自然形成愛國力量，而且在行動中形成的愛國力量，和如今所見的老愛國、新愛國、忽然愛國那種有姿勢冇實際不同，是從愛國行動的烈火中鍛煉產生出來的，是眞正國家有難，就不怕犧牲，前仆後繼，勇往直前的那種，比較起來，如今的老愛國、新愛國、忽然愛國，對不起，只好算個屁。

那麼，如今香港人，尤其是香港的熱血青年，有什麼行動可以表達愛國熱情呢？

有！祖國東海和南海的領土，被外國侵佔，還有什麼比「還我河山」更偉大

的愛國行動？香港十八區，可以組成十八支「愛國復土義勇軍」，抽籤決定，油尖旺夫對付日本，跑鵝灣去打低越南，以此類推，各建奇功。等到凱旋歸來，萬衆歡呼，嘅模空群勞軍，盛況舉世欽羨，愛國熱情可供發射十艘神舟。說不定影響了祖國的愛國人士，起而仿效，東海南海沒戲唱了，漠北、藏南、唐努烏梁海、江東六十四屯，還有大量等待收復的國土，可供愛國行動之用。屆其時也，愛國力量，哼哼，誰提起中國，敢不立正致敬？這才眞正過足愛國癮了。

或曰：不妥，香港人精叻，愛國還愛國，要犧牲，冇着數，制唔過，這愛國行動搞不成。說這種話的人眞沒見識，一，祖國強大的軍事力量是擺着看的嗎，就算擺着，對方一看也就嚇癱了吧，誰敢說祖國海軍打不過日本越南，這人當然是漢奸，先滅了再說！海軍在前，愛國行動軍在後，只要有搶購攬枕的勁頭即夠。二，誰說愛國冇着數？冇？你以爲那些老愛國、新愛國、忽然愛國他們眞是愛國啊！

生果金

報載，香港領取俗稱「生果金」的老人，有五十萬人左右。一直搞不清生果金的正式名稱是什麼，多半是老人，或長者生活津貼之類。可視作是發給長者的零用錢，只要達到年齡標準，都可獲得。年前政府忽然「捉蟲」，有要審查老人財產才發給之議，在一片反對聲中收皮，頗疑創其議者的官員，心中是沒有老人的。

這件事中，値得注意的數字是「五十萬」。領的長者五十萬，還有許多是沒有領的。一家一半，當它也是五十萬，無條件領取生果金的年齡自七十歲起，那就是說，香港七十歲以上老人有一百萬或接近一百萬，就反映出香港的人口老化問題很嚴重了。

人口老化，是重要的社會課題，要心中有老人的政府，才能設法解決或至少緩解，如何進行，有的是專家設法，當然不必老人家自己操心。

回頭再說生果金，很多老人家並沒有去領，當然是因爲不需要，所以就放棄了。也有以爲應該讓有需要者領取，那是誤解，因爲生果金並無限額，而是人人有份，而且在政府的福利支出中，微不足道，所以主張「有錢可拿直須拿」，去拿了，並不影響他人。個人經驗，手續十分簡便，塡表（可請職員代塡），交表，出示身分證和回鄉證，沒有回鄉證的，出示特區護照亦可。若兩者都沒有，不知該當如何，沒有問，很不明白何以有了身分證還不夠，再回答極簡單問題，就成了。回家等信，信到，生果金已入銀行戶口矣，對，要有一個個人銀行戶口，也是話都冇咁易之事。過程中所遇職工，青年男女，朝氣蓬勃，笑容可掬，老人享受被整個社會尊敬之樂，頓時覺得這世界，還是有可愛之處，竟因此而產生了幾絲留戀之意，善哉善哉。

好樣的共產黨員

時維公元二〇〇九年十二月二十六日，一年將盡，天寒地凍，晨起瑟縮，抖開報紙，陡然間大叫一聲，熱血沸騰，霍然起立，手舞足蹈，因爲，終於在香港見識到了一個眞正的、好樣的、有擔當的、敢於承認身分的共產黨員了！好！太好了！雖然到那一天爲止，只有一個，但既然有了開始，就必有後繼人。這種好榜樣，必有跟隨者，拍胸口大聲宣布「我是共產黨員」者，一定陸續有來，總有一天，全世界都知道香港究竟有多少共產黨員在，等他們由暗中蠕動轉化爲公開活躍時，人民就大翻身了啊！

率先勇猛承認共產黨員身分的共產黨員，是一位女性，職務是保安員，面對示威群衆，先表露身分，繼而開罵，然後揮剪，勇冠三軍，雖阿慶嫂再生，亦無

法望其項背，唯有當年的女共產黨員李雲鶴，別名藍蘋、又名江青的，可以比擬。

當年在法庭上，在「三家村」分子廖沫沙眼淚鼻涕哭訴時，女共產黨員江青就戟指痛罵：「你就是無恥！」這種氣吞山河的氣勢，今日重現，怎不令人驚艷哉！

比起那些閃閃縮縮，鬼鬼祟祟，不敢承認自己共產黨員身分的共產黨員來，這位女共產黨員屈就保安員一職，雖說革命工作不分高下，一切服從組織分配，但總是太委屈了。至少可以擔任港澳特區黨部婦女部主任，率領一眾師奶，對付想亂說亂動或敢亂說亂動的麻甩佬，不但叕指罵，且要揮剪剪，令一眾麻甩佬在共產黨員威勢下俯首貼耳，解決了社會上其中一種深層矛盾，也就不負國家領導的期望了。到時一眾師奶，會由衷高叫共產黨萬歲，遊行到中聯辦門口去慶祝謝恩，到時，保安員可得認清楚那是自己人啊，要笑得像陳雲林到台灣才好。

二十多歲可以做什麼

「八十後」這個名詞很流行，統指二十多歲的人。這年齡的人是青年，可做的事情幾乎包括一切人類能做的事在內，歷史上可以找到不知多少出色之極的人物，都是二十多歲，李世民在開始建大業之時，甚至只有十九歲。

人，有上智下愚之分，人的一生，也絕不必一定要成就大業，但看看現在八十後的普遍心態和表現，確然有舉些例子，勵志一番的必要，看看二十多歲的人，可以做些什麼。且舉一個十分冷門的人物：

蔡申熙（一九〇五至一九三二）

原名蔡升熙，字旭初，湖南省醴陵縣人。一九四二年春入廣州講武學校，後轉入黃埔軍校第一期學習，同年加入中國共產黨。在黃埔軍校期間，先後參加平

定廣州商團叛亂、軍閥陳炯明叛亂、軍閥楊希閔叛亂的戰鬥，表現出突出的軍事才能，晉升爲營長、團長。一九二七年八月，參加南昌起義，任第二十四師參謀長。後參加廣州起義，起義失敗轉戰各地，先後擔任中共江西省委軍委書記、吉安東固地區游擊隊第一路總指揮、中共中央長江局軍委書記。

他是紅十五軍的主要創始人之一，擔任軍長，帶領所部北上鄂豫皖邊區與紅一軍合併組建紅四軍，相繼擔任第十師師長、鄂豫皖軍委副主席、彭楊軍政學校校長、率二十五軍軍長等職。

一九三二年十月，在湖北紅安縣河口鎮戰鬥中身負重傷，仍然躺在擔架上指揮作戰，最後犧牲在戰場上，年僅二十六歲。

請注意：他任師參謀長時，才二十二歲。

當然不必以他爲榜樣，只盼能看看人家，想想自己，也就很出息了。

煽動

對「全民起義」這個口號，有兩種截然不同的反應。簡單來說，一種反應認為正面，另一種認為反面。這種情形很正常。然而怪異的是，認為「起義」具反面意義、可怕、使人聯想到流血……大驚失色，認為必須撲殺的那一批人，全是平時十分忠於共產黨的愛國分子。這些人，怎麼口頭上忠黨愛國，但在思想、心態上如此和共產黨背道而馳呢？

對共產黨來說，起義，從來都是正面的，從羅馬時代的斯巴達克斯起義，到中國歷史上許多次農民起義，乃至共產黨發動的無數次起義，包括偉大毛主席領導的秋收起義等等，無不正式載入史冊，全屬正面行為。那些人一聽起義就嚇得發抖，他們究竟是什麼貨色啊？竟然在意識形態上和共產黨如此不同，如此矛

盾，這莫非就是領導人所指的、要解決的深層次矛盾？

若說「全民起義」有煽動民眾起來造反之嫌，那就更滑稽了。請問：還要不要唱國歌？「起來，不願做奴隸的人們」，「起來」作什麼？打麻將嗎？下一句更直接：「把我們的血肉，築成……」，具體號召民眾以生命相拚，再往下的歌詞，激昂人心，煽動力之強，無與倫比，相形之下，「全民起義」，顯得蒼白無力，簡直什麼都不是！

國歌如此，那些人自然是不會唱、不屑唱、也不敢唱的了。難怪，當雄壯的樂聲響起，每見一眾愛國分子口唇掀動，唸唸有詞，像是在唱歌詞，卻從來聽不到他們大聲唱出，他們心中，對歌詞害怕得要命啊！然而，他們卻又全十分「愛國」，他們愛的究竟是什麼國？他們平時用「愛國」作掩飾，暗中究竟想幹什麼？一句口號揭開了這些人的陰暗心態，算是意外收穫。

文抄兩段

今天做文抄公。因為，就「五區總辭」，想發表些意見，卻實在想不出比這兩段話更好的了，所以只好抄。讀者可將文中地名、日期改動一下。當世健筆雖多，也難以將事情說得更透徹了。

兩段文章如下：

萬里長城和海洋都阻止不了世界潮流，今天已經是人民的世紀、民主的時代了，一個國家不能孤立在民主的大潮流之外，於是中國必須而且必然要實現民主了。那麼我們要問：如何才能實現？

人民大眾要用民主原則來團結自己，來反對民主的阻礙。沒有任何名義可以改變或歪曲人民大眾的民主原則。法統主義麼？人民大眾要根據民主原則來檢視這種法統是否還應存在。權威主義麼？人民大眾也要根據民主原則來檢視這種權威是否值得尊重。只有民主原則能夠決定人民大眾要贊成什麼、反對什麼，要做

什麼、要不做什麼，也只有民主原則才能解決問題、轉變時局。

中國人民已經看出了自己的力量，看清了國際潮流，並且懂得了如何發揮自己的力量；於是他們就要以主動積極的態度，以明確和堅決的精神，根據民主原則來參與國事，來掌握中國的命運；這樣一個民主的新中國就一定要實現。

（「爭民主是全國人民的事情」《新華日報》一九四五年七月三日）

人有天賦的人權，人的自由與尊嚴不該為不正勢力所侵犯與褻瀆，人民是政府的主人而不是奴隸，……這從十八世紀以來，應該早已經是全人類共知公認的常識了。可是，在今天，在二十世紀的五十年代，世界上還有根本不承認人民權利的法西斯蒂，還有企圖用不正暴力來強使人民屈服的暴君魔鬼，還有想用一切醜惡卑劣的方法來箝制人民自由、剝奪人民權利的「法規」，「條例」，「體制」；還有想用「民主」的外衣來掩藏法西斯本體的魔術家和騙子，那麼我們在今天這個民主先鋒的誕生的日子，就格外覺得自己的責任的重大，也就格外覺得傑弗遜先生精神的崇高與偉大了。

（「紀念傑弗遜先生」《新華日報》社論一九四五年四月十三日）

公投

地球雖然只是宇宙中的一粒微塵，但是生活在這小星球上的高級生物，還是將它劃分爲形狀不規則的許多塊，塊塊生活方式不同，各具特色，十分之多姿多采。若是大家相互之間，雖雞犬相聞而老死不相往來，也不會有什麼問題。可是如今，人類發展到了幾乎一個愛斯基摩人呵一口氣，就能牽連到赤道幾內亞人打噴嚏的程度了，看看人家的生活方式，覺得人家活得像一種高級生物，油然而起欣羨之心，因此想改善一下自己的特色，也實在是很正常的心態。

扯得有點遠了，說的是公投，即通過公民投票來決定事情。有些地方，連宗教性建築物的格式，這樣的小事，都可以進行公投，當眞叫一提公投，就被撲殺的同是地球人羨慕不已，而且怎麼也想不通有什麼理由反對公投。

凡公投，必有議題，贊成或反對議題者都可以通過公投表達自己的意見，也可以不投票，讓公投流產（台灣有一次就如此）。公投本身，不構成任何反對理由者也。

很滑稽的現象是，反對公投者，口口聲聲說「民意反對公投」，民意若反對，投反對票就是，何以反對進行公投？

公投，是民意能得到表達的最好方法，也是最直接、簡單的方法。任何議題，一經公投，立刻涇渭分明，民衆贊成什麼、反對什麼，都淸淸楚楚，人民公僕只要照民意執行就是。

所以，若沒有公投，就是民意不能直接表達，就是不讓民意有表達的可能，就是根本與人民處於敵對地位，就是害怕民意。

對了，若是一個地方，根本沒有公民，甚至沒有人民，以上的話都不成立了。有這樣的地方？有，不是有叫囂說公投「非法」的嗎，那就是了。

憲法地位如阿斗

偉大的毛主席在共產黨，坐的是第一把交椅，雖然「毛主席的話，理解的要執行，不理解的也要執行」的時代好像已經過去，但「毛澤東思想」仍然「萬歲」，他的話，比起方今領導人，還是一句頂萬句。所以，有必要再來看他對國家憲法的看法，以下是一九六一年，在秦皇島召開的一次座談會上的講話：

我們的黨，好比諸葛亮，對於「憲法」這個阿斗，是懷有極其複雜的感情啊！不公開承認阿斗的領導地位是不好的，是無法向人民群眾交代的；如果不把阿斗當擺設，也是不好的，是無法讓黨隨意向人民群眾發號施令的，也是遲早要被司馬懿抓去砍頭的。所以，我考慮再三，決定在全國所有學校取消憲法課，開設政治課，讓全國人民明白，第一，阿斗還是有的，諸葛亮也受他的領導，不會

胡作非為的，放心好啦；第二，諸葛亮是最厲害的，是會呼風喚雨、撒豆成兵的；不聽他的話，後果會非常嚴重的，嚴重到比地球爆炸還可怕！

可憐的國家憲法，原來只不過是阿斗啊！比翻不出如來佛掌心的孫猴子都不如，連翻筋斗的能力都沒有。最妙的是，憲法只不過是擺出來裝樣子的。這是共產黨早已說明白了的事，到現在還有要依國家憲法力爭自由的，怎會有成功的希望？

明乎此，香港人似乎也可以慳番啖氣，不必再提什麼《基本法》了。國家憲法尚且如此，《基本法》？你是哪裏的？呼風喚雨、撒豆成兵，你能嗎？

呼風喚雨、撒豆成兵，這八個字眞可圈可點！也眞只有毛主席才能將這種生動的民間語言信手拈來，發揮妙用。看看本地的那些兵卒，個個不是比墨西哥跳豆跳得更歡嗎？

解放

解放，除了本來意思之外，還是一個專門詞，指的是中國共產黨的革命行動，特指軍事行動中的勝利。例如，以軍事行動攻佔了一個城市，就可稱這個城市解放了。更可以成爲歷史上的紀年，例如「上海解放之後」，就代表了上海一九四九年五月二十七日之後，各地都可以此類推。也所以，整個國家的軍事攻克戰爭，正式的名稱就是解放戰爭，而中國共產黨領導的軍隊，就正名爲中國人民解放軍。這些，都是人人皆知的常識。

共產黨使用「解放」這個詞，是對中國詞語的極佳運用。語意十分明確：中國人民，本來生活在黑暗中，水深火熱，整個國家猶如一個大囚籠，共產黨的一切行動，都是爲了解救人民，將人民從囚籠中放出來。口號響亮動人，所以極速

傳誦。

不過，像「中國人民解放軍」這樣的稱號，好像應該有時效性。例如，全中國都解放了，沒有中國人民再需要解放了，軍隊再叫「中國人民解放軍」，就有點無的放矢。到那時候，可改稱「世界人民解放軍」，向全世界進軍，將全世界解放得和中國人民一樣幸福。現在，當然還不到這時候，在中國，至少還有台灣沒解放。香港澳門，赫然還是資本主義，好像也該列入等待解放的範疇。所以，在中國還沒有解放的地方，如果叫出「解放」的口號，在以解放行動取得了全國政權的共產黨立場來看，應當覺得正合吾心，十分歡迎才是。像叫了幾十年的「解放台灣」，共產黨當然歡迎贊成。聽了覺得害怕的，那立場肯定和共產黨相反，不是台獨分子，也必然是極少數不明眞相的人，或者是頑固之極的反動分子，才竭力抗拒解放。

香港的情況或許特別些，但再特別，也不該離了這原則啊。

有冇信心？

常聽到一些記者在大聲問人家：「有冇信心呀？」這問題，「行」之極。有料的記者應該不會問。問的，大抵符合江前主席發飆罵記者時的說法。

被問到這樣的問題，回答百分百是：「有！有！」。這樣的問答，純屬廢話，要去做一件事，當然對這件事有信心，連信心都沒有，做來把鬼？

在這樣的一問一答之中，有一個誤區，使人以爲，做事，只要有信心，就可以成功，或至少成功一半。而事實則是，有信心，對事情能否做得成，關係並不太大。做事人充滿信心而結果事情不成的例子太多了。

本地，有一檔攤（「攤」可大可小，有小到眞只是一檔攤的，也有大到可自稱國際集團的），堪稱爛攤，所以頻頻轉手，換老細如食生菜，走馬燈一樣。有

趣的是，在「你方唱罷我登場」時，新登場者，個個都意氣風發，自然更充滿信心，看上去，斯人不出，奈爛攤何？斯人一出，鹹魚立刻翻生，可以飛上天去。有一次，新登場者兩人，一唱一和，彷彿二人齊心，其利斷金，握手擁抱，矢言合作無間，簡直天造地設。一人更發妄言：沒有失敗過，也不喜歡失敗！（當時就奇怪：這不是廢話嗎？誰喜歡失敗啊？）場面好不感人。然而沒多久，意見不合，一人銷聲，又不多久，另一人也匿迹，於是，又添一宗笑談。

這檔攤換老細，已成了茶餘酒後的最佳話題。談論者都不安什麼好心，因為拿下台者的灰頭土臉和他上台時的豪言壯語一對比，想不捧腹而不可得。經歷得次數多了，所以，上台登場的出言再驚人，神態信心再充足，旁觀者卻一點信心也沒有，只當笑話看。

這時候，記者該去問旁觀者「有冇信心」才是。

倪匡散文集

爲極權抬轎的奴隸

作　　者：倪　匡
責任編輯：楊小寶　楊紫翠
封面插圖：Cuson
封面設計：李錦興
出　　版：明窗出版社
發　　行：明報出版社有限公司
香港柴灣嘉業街18號
明報工業中心A座15樓
電話：2595 3215　傳真：2898 2646
網址：http://books.mingpao.com/
電子郵箱：mpp@mingpao.com
版　　次：二〇一〇年七月初版
I S B N：978-988-8027-71-2
承　　印：美雅印刷製本有限公司